Descolonizando
AFETOS

GENI NÚÑEZ

Descolonizando
AFETOS

experimentações sobre
outras formas de amar

PAIDÓS

Copyright © Geni Núñez, 2023
Copyright © Editora Planeta do Brasil, 2023
Todos os direitos reservados.

Preparação: Ayala Tude e Ligia Alves
Revisão: Caroline Silva e Fernanda Guerriero Antunes
Diagramação: Daniel Justi e Vivian Valli
Capa e projeto gráfico: Daniel Justi
Ilustrações de capa e miolo: Denilson Baniwa

Dados Internacionais de Catalogação na Publicação (CIP)
Angélica Ilacqua CRB-8/7057

Núñez, Geni
  Descolonizando afetos: experimentações sobre outras formas de amar / Geni Núñez. - São Paulo: Planeta do Brasil, 2023.
  192 p. : il.

Bibliografia
ISBN 978-85-422-2379-8

1. Amor – Aspectos psicológicos 2. Monogamia 3. Relações humanas 4. Relações poliamorosas I. Título

23-5473 CDD 152.41

Índice para catálogo sistemático:
1. Amor – Aspectos psicológicos

Ao escolher este livro, você está apoiando o manejo responsável das florestas do mundo

2023
Todos os direitos desta edição reservados à
Editora Planeta do Brasil Ltda.
Rua Bela Cintra, 986 – 4º andar
01415-002 – Consolação – São Paulo-SP
www.planetadelivros.com.br
faleconosco@editoraplaneta.com.br

Peme'e jevy / Ore yvy peraa va'ekue / Roiko'i aguã
Restituam a nossa terra que vocês tomaram
Para que a gente continue vivendo

PREFÁCIO, por Ailton Krenak, 9

APRESENTAÇÃO, 15

PARTE I: Descolonização e relacionamentos

Monogamia no início da invasão colonial, 25

Catequização e evangelização como expressões do racismo religioso, 29

Monogamia, monoteísmo cristão e adultério, 30

Não monogamia é algo recente?, 33

Impactos da moralidade cristã em marcos legais, 35

Perspectivas monogâmicas dos jesuítas em 1500, 43

PARTE II: Desmistificando a não monogamia

Não monogamia, poligamia, monogamia: sentidos e significados, 55

Poliamor, amor livre, relação aberta, não monogamia consensual: sentidos e significados, 61

"Não tenho tempo para ser uma pessoa não monogâmica", 63

Repensando a distribuição do trabalho, 69

Monogamia e não monogamia: uma questão de escolha?, 73

"Monogamia é natural porque há espécies animais que são monogâmicas", 80

Monogamia previne infecções sexualmente transmissíveis?, 85

"Não monogamia é desculpa de homens machistas", 91

Heterocisnorma e machismo, 95

Repensando família e parentalidades para
    além da monogamia, 100

A descentralização do sexo, 104

PARTE III: Os desafios da desconstrução, acolhendo inseguranças e angústias

Desafios da prática, 111

Reconhecendo nossa interdependência, 114

O exercício da coletividade, 115

Binarismo e suas problemáticas, 118

Acolhendo a singularidade, 122

Não monogamia e saúde mental, 124

Rejeição, outras nuances, 130

Se não nos guiamos pela moral monogâmica, que ética
    não monogâmica podemos imaginar?, 138

Sofrimento, 144

Acolhimento às inseguranças em uma
    perspectiva não monogâmica, 153

Autoestima, beleza e norma, 155

Breve despedida, 162

POSFÁCIO, por Juliana Kerexu, 171

REFERÊNCIAS, 179

PREFÁCIO

A autora de *Descolonizando afetos* tem raízes profundas na tradição de seu povo Guarani, lugar a partir do qual troca saberes e pesquisa o tema da sexualidade e seus plurais sentidos.

Em seu dedicado e sensível mergulho, desvela memórias das relações entre gêneros nos povos originários antes da invasão europeia, pontuando a violência da catequese como controle de corpos e a imposição de uma moral cristã castradora. Ressalta a tentativa de dissolução das formas próprias de organização social e sua exigência de reconfigurar as relações de gênero, bem como a imposição da monogamia, do batismo e da submissão à moralidade colonial. Ali, um casal é visto como a única "família verdadeira", um instituto do patriarcado em Pindorama.

O fanatismo cristão com seu Santo Ofício, condenando à fogueira as mulheres indígenas – muitas acusadas de feitiçaria e magia oculta –, não logrou romper os vínculos entre sujeitos coletivos capazes de memória e afetos.

Como afirma Geni Núñez: "Neste livro, pretendo contribuir para esse debate partilhando reflexões contracoloniais sobre o tema, tanto do ponto de vista histórico e macropolítico quanto em relação às nuances cotidianas e interpessoais".

Contrariando o propósito missionário para além de reexistir no cotidiano das aldeias e vilas, as tekoas (aldeias), peregrinando pelo território de origem, carregam consigo o espírito livre.

Liberdade de viver sem senhor, com seus próprios modelos de sociabilidade, nos quais afetos não se cristalizam em propriedade. A força ancestral se expressa em alteridades singulares, sem binarismo ou oposição entre sujeito e gênero.

Ailton Krenak
Pensador, ambientalista, filósofo, poeta e escritor brasileiro da etnia indígena Krenak

APRESENTAÇÃO

Peço licença para somar algumas gotas ao oceano desse amplo e complexo debate que é a descolonização.

A descolonização pode ser sentida como uma desordem, um caos, porque a ordem e a normalidade são as características da colonização, de modo que a descolonização, quando se efetiva, produz justamente a desordem absoluta.[1] É por isso que minha aspiração neste livro é poder contribuir, um pouco que seja, para que essa desordem, esse chacoalhar aconteça.

---

[1] Esse é um pensamento que aprendi com Frantz Fanon, revolucionário anticolonial martinicano.

Inclusive, quando pensamos em algo novo, ou estranho, e inquietante, muitas vezes esquecemos que há determinadas sensações de estranhamento que não vêm de algo que é inédito, mas justamente do que nos é familiar de alguma forma ainda não bem elaborada. Nem tudo que é familiar é automaticamente agradável ou confortável. Quero dizer, com isso, que por mais que você possa, até então, não ter tido um contato maior com esses temas, aposto que, em algum nível, o que vou apresentar talvez não seja tão novo assim, embora essa maneira de abordá-los quem sabe o seja.

Antes de continuar nossa conversa, quero me apresentar. Sou uma pessoa indígena, pertencente ao povo Guarani, e, também, uma psicóloga poeta ou poeta psicóloga, como preferirem. Diante disso, já aviso que minha forma de estudar, escrever e sentir o tema das relações é inexoravelmente atravessada pela poética do meu povo. Acredito que algumas coisas a gente só consiga tocar e se aproximar pela arte, música e poesia; então, já adianto que a arte fará parte de toda a narrativa.

Além disso, embora tenhamos uma diversidade imensa de perspectivas sobre o amor, sabemos que as vozes de perspectivas originárias ainda são muito invisibilizadas nesse campo. Neste livro, pretendo contribuir para esse debate partilhando reflexões contracoloniais sobre o tema, tanto do ponto de vista histórico e macropolítico quanto em relação às nuances cotidianas e interpessoais.

Às vezes me perguntam: por que uma pessoa indígena fala tanto de não monogamia? Essa discussão se insere na minha própria perspectiva de mundo. E é importante ressaltar aqui que a nossa diversidade como povos indígenas é imensa: somos centenas de etnias, cada povo com sua língua, seus costumes e modos de vida, que não devem ser generalizados. Inclusive, a realidade de um mesmo povo entre si é bastante diversa – há quem tenha nascido e crescido em território de aldeias, há quem tenha nascido e crescido nas cidades, entre as muitas outras especificidades. O que forma nossa identidade e pertencimento é o reconhecimento coletivo de nossos povos, a memória viva de quem somos, de nosso modo de ser e estar no mundo. Por isso, vou compartilhar minha perspectiva reforçando sempre que ela não busca falar em nome de todos os parentes, muito menos generalizar nossas percepções. Ainda nesse sentido, reforço que minha voz no debate das não monogamias é apenas uma entre muitas, dada a existência de tantas outras que convergem e divergem de meus posicionamentos, algo muito saudável para toda a discussão.

A maneira como me expresso também é parte do "conteúdo" de minha fala.[2] Não separar a existência em binarismos

---

[2] Propositadamente alternei o gênero da escrita do singular e do plural em masculino, feminino e "neutro", partindo do pressuposto de que a própria ideia de feminino e masculino também é produzida e inventada historicamente.

é algo que sempre aprendo com nosso povo. O gosto da manga, por exemplo, que é uma de minhas frutas favoritas, também é composto de seu cheiro e sua cor; é dessa integração que ela e também nós nos fazemos. A escrita, portanto, não é neutra; nela também há as marcas de quem a faz e é feito por ela.

Minha mãe me contou que, em Guarani, ela não conhece palavras específicas que denotem posse. Em vez de dizer que somos "donos" de algo, falamos que estamos em sua companhia. O rio não é nossa propriedade, o vento também não; não somos proprietários de nenhuma existência. Aprendi também com o parente Guarani Nhandeva Alberto Tavares que nossa linguagem já "reflete a espiritualidade guarani, livre de posses".

Essa ideia de propriedade tão presente na sociedade dominante não é parte de nossas perspectivas indígenas. Como afirma o parente Casé Tupinambá: "Não somos donos da terra, somos a terra". A ideia de posse adoece a terra e o nosso corpo-espírito. Viver bem é conviver sem posse.

O livro está dividido em três partes: na primeira, serão apresentadas questões originadas da pesquisa que venho realizando sobre o modo como a colonização impôs sua forma de se relacionar em nosso território e seus efeitos no contemporâneo. Na segunda, a discussão será em torno de alguns dos equívocos mais comuns a respeito da não monogamia. E, na terceira e última parte, vamos desenvolver reflexões que buscarão servir de acolhimento, suporte ou amparo a pessoas que desejam vivenciar outras formas de se relacionar.

PARTE I
Descolonização e relacionamentos

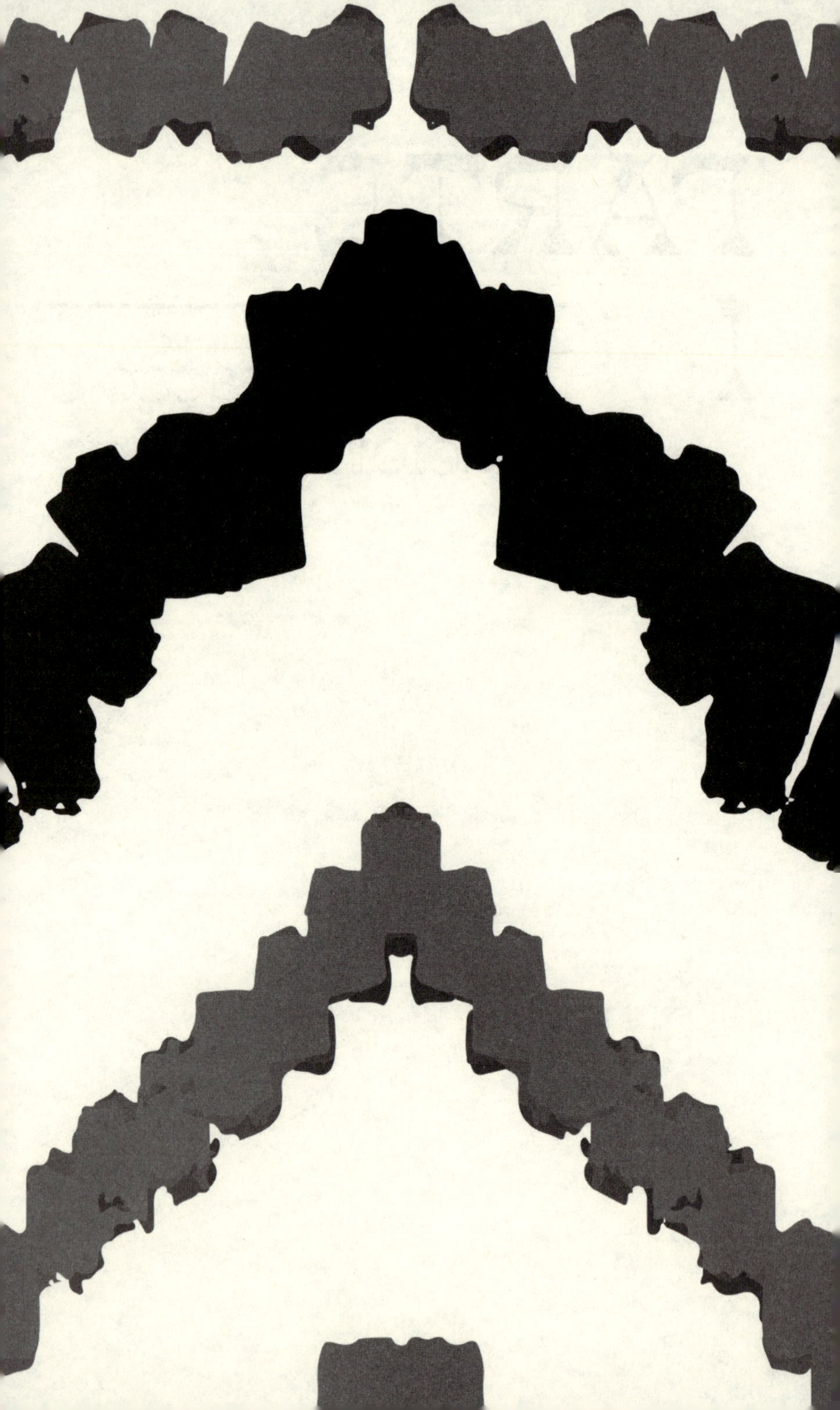

Monogamia no início da invasão colonial

Nos últimos anos, tem crescido a visibilidade das discussões sobre o tema monogamia e não monogamia. No entanto, apesar de essa visibilidade ser mais recente, essa não é uma questão nova. Temos registros históricos desses embates que vêm desde 1500 em nosso território.

Venho buscando analisar de que maneira a colonização iniciou seu projeto de imposição de uma monocultura dos afetos,[1] que persiste desde 1500 até os dias de hoje. Durante a pesquisa, uma das minhas fontes históricas foram as cartas jesuíticas, que são um dos primeiros documentos oficiais escritos que temos daquele período. Além dessa análise, li e estudei livros, artigos, dissertações e teses de pessoas pesquisadoras de referência nesse tema e parte dessa pesquisa apresentarei aqui.

Destaco o trabalho da Dra. Kimberly TallBear,[2] parenta indígena do povo

---

[1] Quando falo em afetos, não estou aludindo a algo similar a carinho ou a um sinônimo para se referir a alguém com quem se tem vínculo afetivo-sexual, mas a um processo mais amplo, no qual afeto é compreendido no sentido de afetação (que não necessariamente é positiva). Uma referência nesse debate é o filósofo Spinoza.

[2] Para acessar a produção acadêmica da parenta, recomendo seus artigos científicos e seu blog: http://www.criticalpolyamorist.com/.

Sisseton-Wahpeton Oyate, que vive na Ilha da Tartaruga (Turtle Island), território nomeado pelos não indígenas como América do Norte. Ela discute sobre perspectivas de relações não colonizadas, questionando binarismos como humano-animal, morte-vida, entre outros. A parenta reflete sobre a monogamia como parte do projeto de imposição colonial e pontua a importância das perspectivas indígenas em relação a outros modos de conceber intimidades que não sejam centradas na figura do humano universal. Ela diz: "Eu tenho múltiplos amores humanos, mas as pradarias e os seus rios e céus são os amores mais duradouros do meu coração" (tradução livre). Desde que conheci o trabalho dessa parenta, senti uma grande alegria, por perceber que, mesmo nas singularidades de cada povo, nossas conexões de alguma forma confluem.

Entre essas conexões, no centro de minha reflexão está a cosmogonia do meu povo. É a partir dela que me oriento e olho para o que estudo. Em outras de minhas publicações acadêmicas, especifico e elaboro com mais detalhes os resultados dessas análises – e deixo o convite a quem se interessar para que acesse esses materiais. Aqui não farei esse esmiuçamento, pois a proposta é apresentar apenas um panorama dessa discussão.

Engana-se quem pensa que estudar as cartas jesuíticas é apenas um meio de compreender a perspectiva colonial catequizadora, pois nesses documentos encontramos inúmeros registros das dissidências e das desobediências indígenas contra a colonização. Analisar essas fontes por um prisma contracolonial pode auxiliar a denunciar as violências ali documentadas, reafirmando nossa memória e nossa luta nos dias de hoje contra essas antigas e contemporâneas invasões.

O que é importante sinalizar neste momento é que, quando os missionários chegaram aqui, ficaram obcecados por erradicar as não monogamias indígenas, porque compreendiam que sem a adesão à monogamia não seria possível realizar o batismo, e sem o batismo todo o sucesso da obra missionária ficaria comprometido.[3]

Mais do que uma questão de quantidade, a imposição da monogamia fazia parte de todo um projeto civilizatório que buscava incutir a moral cristã como a única possível.

O objetivo de catequizar e evangelizar todos os povos do mundo parte de um lugar de "fazer o bem", de levar o amor e a salvação, e é justamente aí que temos um ponto crucial: por vezes somos ensinados/as/es a associar opressão, racismo e demais violências a algo relacionado ao ódio, ao mal; mas para contracolonizar, ou seja, para fazer um esforço contrário à colonização, precisamos reconhecer que é justamente em nome do bem, da família e do amor que a maior parte das violências se perpetua.

[3] Quem analisa muito bem esses registros é a historiadora Vania Moreira (2018).

Nesse sentido, não é suficiente dizer que determinada estrutura é saudável porque se diz referente ao amor, à caridade, ao respeito, à confiança ou à fidelidade se não abrimos essas palavras, se não vamos a fundo no que elas realmente querem dizer naquele contexto. O exercício de descolonizar o pensamento gira em torno desse gesto de termos certa desconfiança em relação àquilo que nos ensinaram que era justo e correto porque era em nome do amor e do bem.

Pensando na maneira como a catequização ocorreu em nosso território a partir de 1500, percebemos que a ideologia monoteísta do cristianismo fazia com que, para os jesuítas, apenas a própria referência de deus contasse como verdadeira e justa. A pesquisadora Carla Berto[4] ilustra esse quadro quando explica que, em suas cartas, os padres faziam uma distinção entre aquilo que chamavam de "verdadeiras e falsas aparições" espirituais. As primeiras seriam aquelas em que haveria manifestações de santos católicos, e as segundas seriam correspondentes à aparição de "outros seres", nomeados como diabólicos.

Essa lógica de atribuir a verdade a si e a falsidade às espiritualidades indígenas estava presente também na descrição que faziam das relações indígenas que observavam. Para os padres, as tradições indígenas não poderiam conciliar-se

[4] Berto (2006, p. 133).

com o que para eles era o "único, perfeito e verdadeiro casamento cristão".[5]

Catequização e evangelização como expressões do racismo religioso

Temos, com isso, os primeiros marcos do racismo religioso, uma vez que, para esses missionários, as espiritualidades indígenas eram consideradas todas manifestações falsas, pecaminosas e demoníacas de fé. Proibir as demais formas de relação indígena fazia parte da imposição de sua monocultura. Até hoje, quem persegue, destrói e queima casas de reza indígenas e terreiros de matriz afro é munido dessa ideologia da monocultura da fé, que não admite a concomitância, que não consegue conviver com a diversidade.

Nós, como povos indígenas, nunca tivemos o desejo de "salvar" os demais povos convencendo-os à força de que seus deuses eram falsos e de que apenas os nossos eram verdadeiros. Não tivemos e não temos esse tipo de prática porque as cosmogonias de nossos povos não nos

[5] Vainfas (1997, p. 33).

orientam a isso. Não precisamos acreditar que as demais espiritualidades são falsas para validar as nossas, não precisamos inventar um "selvagem" para nos sentirmos civilizados. Em outras palavras, não positivamos nossas diferenças de modo parasitário.

Falar disso tudo importa para compreender o que anunciei antes: por que a monogamia era (e continua sendo) tão central para o cristianismo?

Monogamia, monoteísmo cristão e adultério

Se nos voltamos às características desse deus, percebemos que ele só se sente amado se é amado em caráter único, o que é exatamente o principal preceito da monogamia: a não concomitância de relações românticas como critério de fidelidade. Em minha pesquisa, constatei que a noção de adultério foi utilizada primeiro nesse âmbito espiritual para então ser aplicada também às relações interpessoais. Há diversos trechos[6] bíblicos[7]

---

[6] Como na passagem vista em Tiago 4:5.

[7] As referências que faço neste livro à Bíblia não a tomam como um livro homogêneo, nem ignoram que suas traduções são controversas, historicamente datadas e afetadas por interesses políticos. O objetivo aqui não é uma exegese ou uma escrita da história, mas uma análise dos efeitos desse discurso hegemônico. Para quem

nos quais se menciona o ciúme de deus ao se ver "traído" pelo seu povo, em momentos em que esse povo estaria cultuando outros deuses ao mesmo tempo.

Diante disso, é possível entender o motivo de a conversão cristã não admitir a possibilidade de múltiplas espiritualidades em sua base. Não se diz que esse é um dos caminhos entre muitos, mas o "único caminho, a verdade e a vida".[8] É um amor direcionado aos que se convertem, e, embora haja nele a noção de livre-arbítrio, afirma-se que quem não crê já está condenado ao inferno.[9]

Esse direcionamento espiritual, segundo o qual só se prova que ama alguém se não amar outras pessoas em concomitância, é o que fundamenta a monogamia. Voltaremos mais tarde a esse ponto.

No senso comum, monogamia e poligamia são dois termos costumeiramente definidos como algo relacionado à quantidade: enquanto monogamia seria ter apenas uma relação afetivo-sexual por vez, poligamia seria ter múltiplas relações ao mesmo tempo. Essa compreensão é um dos maiores equívocos desse tema, e vou compartilhar o motivo pelo qual definir esse debate nesses termos esvazia o que cada palavra realmente significa.

---

se interessar por um estudo aprofundado sobre sentidos e traduções, recomendo o trabalho da pesquisadora Angela Natel.

[8] João 14:6.
[9] João 3:18.

Em minha pesquisa nas cartas jesuíticas, fui percebendo que, para os padres, não bastava que uma relação fosse composta apenas de duas pessoas para ser tida como monogâmica; era preciso muito mais.

Para que uma relação pudesse ser definida como monogâmica, era necessário que atendesse ao princípio da indissolubilidade do vínculo, que mais tarde seria repaginado pelo amor romântico[10] na premissa do "até que a morte nos separe". Isso nos ajuda a entender por que o direito ao divórcio é tão recente no Brasil: apenas na Constituição de 1988 ele foi estruturado na forma como o conhecemos hoje.

Para ilustrar o quanto a imposição da monogamia estava diretamente relacionada aos valores do monoteísmo cristão, compartilho aqui um trecho de uma carta escrita em 1633 pelo padre Diogo Ferrer, que afirma sobre indígenas Guarani: "vivem juntos quanto tempo querem, e quando o marido quer se casar com outra mulher deixa aquela, e o mesmo faz a mulher, e não parece que estes índios em seu natural conhecem a perpe-

---

[10] A noção de amor romântico não deve ser confundida com amor com romance, ternura, gentileza, paixão etc. Amor romântico é um tipo de amor historicamente datado e marcado, entre outros fatores, por uma ideia de completude/complementaridade que só ocorre de determinada maneira em determinado tempo. No senso comum, é associado à "metade da laranja" ou "tampa da panela" e a uma expectativa de que "dure para sempre".

tuidade do matrimônio. A nenhum deles isso soa ofensivo".[11]

Em nosso povo, desde antes de 1500 já havia o entendimento de que, se alguma das pessoas não quisesse mais permanecer naquela relação, ela tinha o livre direito de interrompê-la. As relações indígenas não se guiavam pela indissolubilidade do vínculo e também por isso não eram categorizadas como monogâmicas, ainda que fossem compostas de apenas duas pessoas. Reafirmo que nem monogamia nem não monogamia têm a ver com quantidade, mas com o modo como as relações acontecem – em que tempo, sobretudo.

Embora o Estado se diga laico, como a ideologia cristã é dominante no Brasil e no mundo, ela toma o lugar daquilo que é universal e não se apresenta como uma perspectiva entre muitas. Por isso, muitos dos valores cristãos são adotados pelo Estado brasileiro, desde a formulação dos feriados nacionais (dos nove que temos, mais da metade são cristãos) até a demora da formalização do direito ao divórcio.

Não monogamia é algo recente?

Ainda que digam que nós, indígenas, somos atrasados e atrapalhamos o "progresso" e o desenvol-

[11] Ferrer (1633, s./p.).

vimento, por essas e outras situações percebemos que aquilo que a sociedade dominante começa a discutir apenas nas últimas décadas, como o direito elementar ao próprio tempo emocional, já era uma constatação para nossos povos havia séculos. Pontuo isso porque há quem diga que "não monogamia é coisa da moda", invisibilizando as resistências indígenas que há alguns séculos lutam para manter vivos seus modos de vida para além da monocultura. Eu chamo de "caravela epistêmica"[12] esse costume dos não indígenas de descobrir o que já existia e assinar, ainda, sua autoria em conhecimentos que já vínhamos tecendo havia tanto tempo.

Essa dificuldade em compreender que uma relação pode ser finalizada "antes que a morte os separe" está presente inclusive nas violências misóginas. Um exemplo disso é o feminicídio. Uma das falas mais frequentes dos autores de violência contra as mulheres é a de que "não aceitavam o término da relação". Vejam, estamos novamente falando sobre certo jeito de se relacionar que só acontece dessa forma porque se orienta pelo tempo normativo, o da indissolubilidade do vínculo.

Ainda que não esteja mais presente na Constituição, a premissa da indissolubilidade do vínculo continua orientando muitas racionalidades monogâmicas. O divórcio é

---

[12] Para mais debates sobre esse tema, sugiro a pesquisa do trabalho da parenta Aline Kayapó, que cunhou o termo "descaravelizar".

considerado, por algumas lideranças cristãs, um pecado de adultério. Em 2021, o pastor Silas Malafaia assinalou que excluiria dos cultos os fiéis que se casassem após um "divórcio antibíblico". Ele declarou:

> Agora, aqui nessa igreja, se alguém se divorciar, a não ser com a cláusula de exceção de infidelidade, e contrair um novo matrimônio, eu vou excluir do rol de membros dessa igreja. [...] Eu lhes digo que todo aquele que se divorciar de sua mulher, exceto por imoralidade sexual, e se casar com outra mulher, estará cometendo adultério.[13]

Impactos da moralidade cristã em marcos legais

A mistura entre pecado e crime levou o Estado brasileiro a manter o adultério como crime no Código Penal até 2005. Adultério só faz sentido para quem pressupõe que o direito ao próprio corpo deve ser cedido ao cônjuge, de modo que se torna uma ofensa a terceiros a autonomia sobre a própria sexualidade. Em Coríntios 1, capítulo 7, versículo 4, há um trecho que diz: "a mulher não pode dispor de seu corpo: ele pertence

---

[13] Para acompanhar a fala completa, acessar a matéria publicada por Tiago Chagas (2021).

ao seu marido. E da mesma forma o marido não pode dispor do seu corpo: ele pertence à sua esposa".

Essa concepção fez com que, no imaginário social, a abdicação da própria autonomia sobre si se tornasse um sinal de desrespeito e de ofensa. Ainda são comuns "crimes de legítima defesa da honra", em que o homem cis[14] sente justificado coletivamente o agir com violência contra sua companheira que teria (supostamente) quebrado o combinado de exclusividade sexual.

O padre José de Anchieta,[15] em suas cartas, comenta que nunca havia presenciado nenhum indígena assassinando ou agredindo companheiras por adultério. É curioso que ele tenha se surpreendido com isso, uma vez que a noção de adultério cristão não era um pressuposto para povos não cristãos. Como consequência, não era necessário um esforço para conter o impulso de uma violência cuja motivação moral nem mesmo estava posta.

A violência contra as mulheres é frequentemente percebida apenas como uma expressão do machismo, e nisso se silencia o quanto a monogamia é o alimento ideológico para essas práticas. Se fosse apenas machismo, veríamos como autores de feminicídios quaisquer

---

[14] Sublinho a importância de não homogeneizarmos as vivências de homens cis e homens trans, pois apenas os primeiros são parte da hegemonia do sistema sexo-gênero.

[15] José de Anchieta (1584-1586).

homens, aleatoriamente, mas o que pesquisas como a do Anuário de Segurança Pública (ABSP) de 2020[16] mostram é que cerca de 90% das vítimas de feminicídio foram assassinadas por companheiros ou ex-companheiros. Ou seja, não são homens aleatórios que estão cometendo esses assassínios: são precisamente aqueles com quem as vítimas tiveram um vínculo romântico, monogâmico e heteronormativo. Em outras palavras, essa forma de amar é perigosa para a vida das mulheres e das pessoas sexo-gênero dissidentes.[17]

A monogamia faz parte da conjuntura da família defendida pelo Estado, caracterizada também pela heterocisnorma que orienta a misoginia e as demais violências sofridas por pessoas sexo-gênero dissidentes. O Brasil, país onde cerca de 90% da população se afirma cristã, é um dos líderes mundiais nos índices de assassinatos contra mulheres cis e pessoas trans.

Por meio dessa chave podemos compreender que, ainda que no Código Penal vigente as sexualidades das pessoas sexo-gênero dissidentes não mais estejam criminalizadas, como elas ainda são tidas como um pecado para um amplo setor de nossa sociedade, isso

---

16 FBSP (2020).
17 Escolhi utilizar a expressão "pessoas sexo-gênero dissidentes" das normatividades por compreender que nem todas as pessoas dissidentes se veem representadas na sigla LGBTQIAPN+. Friso a importância de reconhecermos a cisgeneridade como marcador de hierarquias mesmo entre a comunidade formada por pessoas dissidentes de gênero.

colabora para um efeito de "desumanização" tão profundo que resulta em estatísticas de violências contra pessoas sexo-gênero dissidentes ainda mais elevadas que em países onde essa criminalização é explícita.[18]

Ainda sobre o Código Penal, no Título VII, "Dos Crimes contra a Família", Capítulo I, "Dos Crimes contra o Casamento", o artigo 235, sob a denominação legal de "bigamia", menciona que "é crime contrair novo casamento já sendo casado". A pena de reclusão pode ser de dois a seis anos. No parágrafo único se diz que "a ação penal depende de queixa do contraente enganado". Isso me chamou muito a atenção, porque sequer se cogita que as pessoas possam querer, conscientemente, ter arranjos familiares múltiplos sem serem "enganadas".

Já no Código Civil atual, há no Capítulo IX, "Da Eficácia do Casamento", o artigo 1.566, no qual se afirma que "são deveres de ambos os cônjuges: I – fidelidade recíproca [...]". E o artigo 1.573 faz menção ao adultério. Interessante observar que a moralidade monogâmica preenche rapidamente o que se poderia chamar de fidelidade, confiança, traição e respeito, de maneira que esses termos são usados eufemisticamente para se referir à exclusividade afetivo-sexual.

A defesa dessas lógicas, portanto, raramente nomeia diretamente aquilo a que se refere; pelo contrário, é comum que ocorra

---

[18] Ver "Brasil segue no topo..." (2019).

em nome do bem, do amor e da lealdade que suas estruturas se perpetuam. Os códigos civil e penal não legislam apenas sobre pessoas que se reivindicam monogâmicas, mas sobre todas as pessoas, quer pactuem quer não com os valores da monogamia.

Os efeitos dessas normatividades se evidenciam no contemporâneo, e um exemplo disso foi visto quando, em 2020,[19] o Supremo Tribunal Federal negou a possibilidade de reconhecer mais de uma união estável ao mesmo tempo. Tratava-se de um homem bissexual que havia falecido e então sua companheira pedira o reconhecimento da união estável. Ela teve seu pedido aceito. Em seguida, o outro companheiro também pediu esse reconhecimento e teve seu pedido negado. Ambas as relações tiveram duração de doze anos e nenhuma das duas pessoas era "casada no papel" (o que configuraria bigamia). A sentença foi proferida no sentido de que, embora se reconhecesse a existência de ambas as relações,

> A preexistência de casamento ou de união estável de um dos conviventes impede o reconhecimento de novo vínculo referente ao mesmo período, inclusive para fins previdenciários, em virtude da consagração do dever de fidelidade e da monogamia pelo ordenamento jurídico-constitucional brasileiro.[20]

---

[19] Para acompanhar mais detalhes sobre esse caso, indico o acesso ao portal do Supremo Tribunal Federal.

[20] Artigo 226, da Constituição da República Federativa do Brasil.

Nesse caso, podemos perceber que a imposição jurídica da monogamia está diretamente relacionada ao direito à propriedade, à previdência, à pensão. Seu objetivo é assegurar que esses direitos circulem apenas entre os sujeitos ditos da "família normal". Até recentemente, crianças tidas fora do matrimônio eram nomeadas pejorativamente como "bastardas" ou "filhas ilegítimas" e também eram negligenciadas juridicamente pela monogamia. No Brasil, esse tipo de hierarquia tem sido profundamente informado pelo racismo, discussão que autoras como Lélia Gonzalez[21] muito bem elaboram.

Ao impor a monogamia, o Estado brasileiro fere o princípio da laicidade, uma vez que, para muitas outras comunidades que não a cristã, a concomitância de vínculos não é um pecado ou crime, sendo, nesse sentido, um efeito do racismo religioso. Como mencionado, as palavras *fidelidade*, *respeito* e *confiança* são rapidamente preenchidas pelos valores monogâmicos, uma vez que não se questiona que possa haver fidelidade para além da exclusividade sexual.

Muitos dizem que "o combinado não sai caro", mas vemos que tem saído, sim, muito cara essa conta. Nem tudo que é combinado é ético, e terceirizar os direitos ao pró-

---

Disponível em: https://portal.stf.jus.br/constituicao-supremo/artigo.asp?abrirBase=CF&abrirArtigo=226.
21 Gonzalez (1984).

prio corpo deveria ser um exemplo disso. A ferrenha defesa desse sistema não incide apenas sobre as relações interpessoais, mas sobretudo em um certo modelo de fé, ainda que muitas vezes não seja explicitamente a ele associado.

Essa defesa também se sustenta do ponto de vista econômico, uma vez que a instituição familiar é uma das únicas nas quais o trabalho de limpeza, de cuidado das crianças, de feitura de alimentos não é remunerado às mulheres, que devem fazê-lo "por amor". A sobrecarga e a exploração do trabalho das mulheres, especialmente das não brancas, são o que sustenta toda a vida capitalista.

Como comentei, a resistência contra a imposição do cristianismo e da monogamia já vem de muitos séculos. Nos registros dos missionários é possível perceber que o projeto de colonização da afetividade/sexualidade não ocorreu sem resistências e que a repressão "foi móvel de protestos e mesmo de atos rebeldes em oposição aos padres".[22] Além desses protestos diretos e explícitos, houve resistências mais silenciosas, que podemos observar em inúmeros relatos dos jesuítas e em sua decepção em perceber que os hábitos de confissão e arrependimento muitas vezes não implicavam uma real mudança na prática e no modo de vida dos indígenas, que estrategicamente se diziam filiados

[22] Monteiro (1992, p. 489).

ao cristianismo apenas para facilitar algumas negociações e alianças contra outros colonizadores.[23]

Sobre este último ponto, no cristianismo há um trecho que orienta a conjugalidade monogâmica: "Não vos negueis um ao outro, exceto por mútuo consentimento, e apenas durante algum tempo, a fim de vos consagrardes à oração. Logo em seguida, uni-vos novamente, para que Satanás não vos tente por causa da vossa falta de controle".[24] O trecho coloca o sexo como um "dever" do casal, na tentativa de reduzir as chances do adultério.

Em muitos casos, essa premissa acaba por borrar as fronteiras do consentimento, uma vez que não bastaria que apenas uma das pessoas não quisesse a prática sexual; a Bíblia só admite que o sexo não ocorra quando for por "mútuo consentimento". Diante disso, no confessionário, o trabalho dos padres direcionava-se a incutir, especialmente nas mulheres, a ideia do sexo como um dever. Até hoje vemos essa reverberação, quando a sociedade dominante culpabiliza mulheres pela "traição" praticada pelo marido, em falas como "se tivesse em casa não procuraria na rua" e afins.

---

23 Felippe (2008).
24 1 Coríntios 7:5.

Perspectivas monogâmicas dos jesuítas em 1500

O esforço missionário direcionou-se ao processo de incutir, violentamente, a percepção de que determinados costumes e práticas deveriam ser alvo de remorso, culpa, vergonha e arrependimento. A listagem de condutas imorais era extensa, e, "dos pecados mais condenáveis pelos padres, destacam-se a nudez, as relações de poligamia entre os membros das aldeias e a condução de suas vidas através dos ensinamentos do pajé (responsável tanto pelo conforto espiritual como por curas aos enfermos)".[25]

Oyèrónkẹ́ Oyěwùmí,[26] intelectual nigeriana, comenta que, quando os padres invadiram os territórios do continente África, o repúdio deles era maior à não monogamia dos nativos do que a violências como a própria escravização. Também no processo missionário em nosso território vemos que na listagem dos pecados mais abomináveis não constavam invasão, estupro, escravização, mas sim uma eleição de condutas cuja vértice era o controle, vigília e punição da sexualidade.[27]

---

[25] Lima e Menezes (2008, p. 132).
[26] Oyěwùmí (2017).
[27] Foucault (1988).

Observamos essa distorção ética no modo como os jesuítas elaboravam a questão da nudez indígena. Como lembra Vania Moreira,[28] a nudez e a autonomia sexual de pessoas indígenas desnorteavam alguns missionários. A historiadora comenta, como exemplo, que o padre Antônio da Rocha "não escondia seu sofrimento. Dizia padecer diariamente de estímulos poderosíssimos, por estar incessantemente exposto à 'luxúria' das mulheres nativas".[29] Em uma carta de 1549, o padre Manuel da Nóbrega solicita "o envio de roupas para cobrir as vergonhas dos nativos cristianizados".[30]

Assim como o padre Nóbrega, ainda hoje o sonho da ideologia monogâmica é o de que ninguém (especialmente mulheres) jamais usasse roupas curtas e/ou sensuais, assim como há um ressentimento contra postagens em redes sociais desse teor, uma vez que se entende que essa visibilidade poderá prejudicar de alguma forma a estabilidade da família. Aliás, o que temos não é uma proibição da nudez como um todo, e sim o desejo de sua privatização, afinal, hoje, estar nua para o esposo não se apresenta como um problema. A ofensa está posta na quebra da exclusividade dessa nudez e em seu "perigo" para a segurança monogâmica.

Com isso, podemos compreender que, segundo aquela listagem dos pecados mais abo-

---

[28] Moreira (2018).
[29] Moreira (2018, p. 33).
[30] Moreira (2018, s./p.).

mináveis para os padres, o combate à nudez atendia ao mesmo tempo a vários eixos do projeto colonial. Seja pelo fato de a nudez ser tomada como signo de selvageria, característica animal, portanto um sinal de afastamento da pretensa evolução para o civilizado/cristão/humano, seja porque ela era percebida como um risco à implementação da monogamia.

Já o terceiro pecado abominável listado, o respeito e a escuta aos ensinamentos dos pajés, também se conectava com todo esse cenário, pois, tendo como referência as cosmogonias originárias, os indígenas veriam suas crenças fortalecidas, o que, por consequência, os afastaria da perspectiva de verem a nudez e a não monogamia como pecados e, portanto, interromperia o ciclo do arrependimento, primazia da conversão cristã.

Por sua importância fundamental na luta anticolonial, os xamãs, pajés e demais lideranças espirituais indígenas foram tomados como os principais alvos dos primeiros encarceramentos realizados, sendo também vítimas de torturas, assassinatos e descrédito às suas espiritualidades. Segundo Monteiro, os xamãs viam na missão jesuítica uma afronta à sua crença, costumes e cultura, especialmente nos "dois elementos fundamentais para os Guarani: sua identidade e sua liberdade", e promoviam diversas ações de resistência, por exemplo, os chamados rituais de "desbatismo".[31] De acordo com

[31] Monteiro (1992, p. 482).

Melià, uma "lectura contextual de las expresiones de los Guaraní permite detectar que para ellos, [a não monogamia] es ante todo una forma esencial y tradicional de cultura".[32]

Essas iniciativas de defesa dos modos de vida originários foram organizadas por lideranças espirituais do povo Guarani e se pautavam em diversas ações que tinham como objetivo fortalecer sua identidade. Em 1579, o cacique Obera, que havia sido batizado como cristão, foi uma das mais importantes referências da insurgência Guarani, liderando "uma série de rebeliões contra a exploração colonial e a favor da reanimação dos ritos tradicionais".[33] Sobre ele o missionário Martin de Centera, em 1602, relata que

> o batismo tinha de cristão: mas a fé prometida não guardava [...] já não restam índios em nenhum lado que não sigam sua voz e seu comando. Com sua pregação e seu conselho a terra se vai toda levantando, não acudindo já ao serviço que soía, pois liberdade ele a todos prometia. Mandou-lhes que cantassem e dançassem, de sorte que outra coisa não faziam.[34]

Neste trecho percebemos o quanto incomodava aos padres perceber que, apesar do projeto de

---

[32] Melià (1988). Em tradução livre: "Uma leitura contextual das expressões dos Guarani nos permite detectar que, para eles, [a não monogamia] é, acima de tudo, uma forma essencial e tradicional de cultura".

[33] Chamorro (2008, p. 74).

[34] Chamorro (2008, p. 75).

conversão absoluta, havia (e há) resistência indígena. Na citação, o missionário descreve o quanto nossos ancestrais escutavam suas lideranças espirituais, que lhes lembravam sempre do direito à liberdade.

A autora Graciela Chamorro explica que, "ao remover os nomes cristãos, Obera e seus assistentes esperavam estar devolvendo aos indígenas sua natureza original".[35] Junto com os pajés, os cantores tradicionais Guarani também tiveram importante papel nessa resistência: os jesuítas lastimavam que "'certos cantores', com seus cantos e ritos, [afastassem] os cristãos do serviço divino" e que tais cantos levassem à celebração de cerimônias e ritos Guarani.[36]

Outro parente cuja ação teve uma grande influência nessas disputas foi Ñesu, que também havia sido catequizado, mas que após ouvir conselhos dos caciques mais velhos, como Potirava, juntou-se às práticas de desbatismo. Para nosso povo, os nomes em Guarani são sagrados e compreendem formas de nos referirmos ao nosso próprio espírito; as palavras podem fazer parte do que chamamos de artesanato narrativo.[37] Como lembra a parenta Sandra Benites, a "fala boa (nhe'ẽ ou aywu porã), para os Guarani, não é apenas a escrita, é a vivida".[38] Por isso que, quando pensamos uma não monogamia a partir de uma perspectiva indígena, não nos

[35] Chamorro (2008, p. 75).
[36] Chamorro (2008, p. 76).
[37] Núñez e Vilharva (2022).
[38] Benites (2015, p. 4).

interessa simplesmente apostar em um sistema que se diz em nome do amor, da fidelidade, da confiança e do respeito; é necessário abrir cada um desses termos e ver o que de fato traduzem na prática.

Com essa breve explanação histórica, você deve ter percebido que é uma falácia quando dizem que "não monogamia é coisa da moda", pois a resistência à imposição da monogamia já vem sendo registrada desde a invasão, em 1500.

Quando se diz que não monogamia é coisa da moda, que é um "novo" jeito de se relacionar, é como se a monogamia fosse a forma mais antiga e, portanto, mais verdadeira. Processo parecido de apagamento ocorre com a heterocisnorma, segundo a qual pessoas sexo-gênero dissidentes seriam fruto de um modismo passageiro. Nesse sentido histórico, aqui em nosso contexto, recente é a monogamia.

Quando os colonizadores chegaram para nos "salvar", diziam que a não monogamia indígena era "coisa de animal irracional" e que o único verdadeiro casamento era o cristão monogâmico.[39] Em nosso território, desde então, nunca houve moral cristã sem monogamia, e vice-versa. Nunca tivemos leis proibindo pessoas de se relacionarem com apenas uma outra, nem igrejas em que estar com somente uma pessoa fosse pecado, tampouco leis

---

[39] Para se aprofundar nesse tema, indico a tese do historiador Guilherme Felippe (2008).

em que isso fosse crime. Já o contrário acontece desde então, como mencionado anteriormente: a bigamia segue como crime no Código Penal e o adultério segue como pecado.

De fato, o aumento da visibilidade dessa discussão é mais recente, mas não podemos a confundir com as resistências contra a monogamia. Caso contrário, o que temos é novamente a caravela epistêmica, sobre a qual já comentei, cujo gesto é "descobrir" o que já existia.

O jeito que amo
Não entra na igreja.
À maneira que amo não se destina feriado.
Os modos como sou amada não aparecem
    nos inícios nem nos finais felizes.
O jeito que amo
É literalmente ilegal.
O jeito que amo, dizem, não é pra mim, nem pra
    ninguém, não funciona, não dá certo.
Por um tempo isso tudo me fez duvidar,
Me fez acreditar em um delírio de mim mesma.
Até o dia em que não paguei a fiança da chantagem e me vi livre.
Ainda com medo, angústia e feridas, mas livre,
Livre para seguir, não apesar dos meus medos, mas com eles.
Acolhendo minhas dores, experienciei novas alegrias e soube,
Soube que o jeito que amo e sou amada é crível, sim.

O jeito que amo não é importado, nem enlatado,
    vem sem manual, é artesanal e potável.
É parte de uma teia, com gente humana,
    gente bicho, vento, água e terra.
Amo ser e fazer parte, e sei: ser parte é infinito.

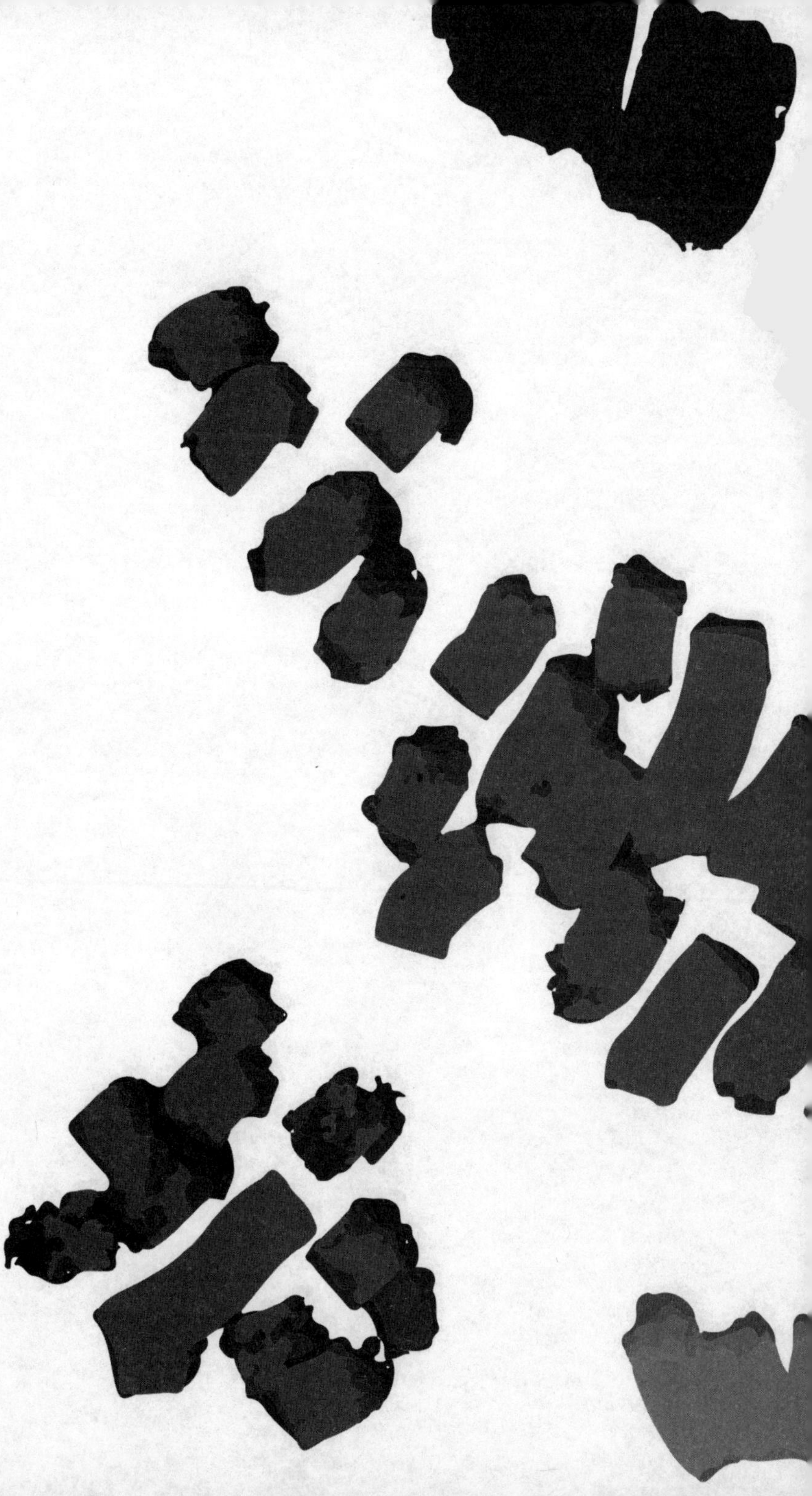

PARTE II

Desmistificando a não monogamia

Não monogamia, poligamia, monogamia: sentidos e significados

A internet, as conversas de bar, a TV ou o almoço de domingo são o cenário de algumas das situações em que nos deparamos com uma série de posicionamentos diversos sobre não monogamia. Alguns deles trazem críticas pertinentes, mas outros apenas reforçam preconceitos morais comuns quando falamos sobre o tema. Elucidá-los, como faremos nos próximos tópicos, pode nos auxiliar a compreender melhor certas "polêmicas" em torno desse debate.

É importante compreender alguns dos termos mais frequentes ao tentarmos desmistificar a não monogamia: poligamia, poliamor e amor livre, por exemplo, não traduzem a mesma ideologia.

Os prefixos de monogamia (mono-) e de poligamia (poli-) podem aludir, em um primeiro momento, a uma questão de quantidade, como se monogamia fosse pertinente a quem quer se relacionar com apenas uma pessoa e poligamia se referisse àquelas pessoas que desejam se relacionar com várias. Esse é um dos equívocos mais comuns, justamente porque nem "monogamia" é sobre um/único nem "não monogamia" corresponde necessariamente a vários. Na não monogamia, alguém que queira se relacionar com apenas uma pessoa tem o direito de fazê-lo, mas isso diz respeito apenas a si mesmo. Se a outra pessoa quiser também se relacionar com apenas um, sem problemas, mas, se sentir de outra forma, cabe apenas a ela essa escolha. Só quem pode dar consentimento nesse sentido é a própria pessoa, sobre si mesma, mas retornarei mais adiante a essa questão.

Para além disso, cabe repensarmos: por que, em geral, apenas as relações nas quais há a presença de vínculo sexual e/ou romântico são consideradas relações? Não são também relações amorosas outras tantas que podemos ter sem essa centralidade sexual e romântica?

Voltando ao termo *poligamia*, sabemos que ele é difundido até hoje não apenas no senso comum, mas também por muitas pessoas pesquisadoras. Quando missionários e estudiosos chegavam a contextos de povos não monogâmicos, rapidamente os classificavam como poligâmicos, e minha aposta é a de que essa terminologia pode denunciar o moralismo dos próprios investigadores. Em outras palavras, uma pessoa ser não monogâmica significa simplesmente que ela não terceiriza decisões sobre seu próprio corpo, de maneira que ela pode usar sua liberdade de escolha inclusive para não se relacionar sexualmente com ninguém.

É preciso questionarmos, portanto, essa ideia de que a liberdade está sempre ligada a um grande sim a tudo. Pelo contrário, a liberdade também pode ser sobre nossos nãos, desde que próprios, autorais. No entanto, na visão desses missionários, ter direito à escolha já significava uma hipersexualização, por isso o *poli*.

Um exemplo capaz de auxiliar a compreender essa projeção se dá quando observamos os discursos contra pessoas não monossexuais (por exemplo, bissexuais). É comum que se diga que pessoas bissexuais são "promíscuas", simplesmente por terem a possibilidade de se interessarem por mais de um gênero. Novamente, ter a possibilidade de ficar com mais de uma pessoa, com mais de um gênero, não significa que alguém não mono vá necessariamente se relacionar com mais de uma pessoa, nem que uma pessoa bissexual vá se relacionar com todos os gêneros ao mesmo tempo (embora, reforço, não haja nenhum problema quando é este o caso). Na prática, não há nada que aponte que de fato pessoas monogâmicas e/ou monossexuais tenham uma quantidade menor de relações ao longo da vida – trata-se, portanto, de uma projeção moral.

No contemporâneo, o termo *monogamia* vem perdendo seu sentido original e restrito, que era literalmente sobre poder ter apenas um (mono) casamento (gamia), uma vez que é bastante comum, em nosso contexto, que pessoas adultas tenham tido mais de um vínculo afetivo-sexual ao longo da vida. Por isso que, atualmente, muitas das pessoas que se afirmam monogâmicas definirão sua monogamia não por terem tido apenas um casamento ou namoro, mas sim por não terem mais de um ao mesmo tempo (em tese). Percebemos então que, embora tenha havido diversas transformações na ideia de monogamia, o seu núcleo permanece, que é a impossibilidade da concomitância.

Apesar de muitas pessoas monogâmicas já terem tido mais de um casamento ou namoro, a questão da quantidade ainda retorna como um argumento moral, quase como um elogio, em que muitas vezes se diz "eu sou mulher de um homem só", "sou homem de uma mulher só", ainda que tais pessoas tenham tido diversos vínculos sexuais em suas vidas.

Nisso há um elogio à monogamia, como se o fato de pessoas monogâmicas (supostamente) ficarem com apenas uma pessoa correspondesse diretamente à vilanização da, também suposta, promiscuidade não monogâmica.

Mas, ainda que alguém não mono, de fato, se relacione sexualmente com várias pessoas, por que isso incomoda tanto? É como se, em si, se relacionar com apenas uma pessoa fosse melhor do que se relacionar com várias, em uma ênfase que positiva o um e demoniza o múltiplo, quando, na verdade, talvez nosso foco devesse se voltar à qualidade dos vínculos, e não à sua quantidade. Ninguém diz que uma pessoa que tem três tias ou dois irmãos não os poderá amar verdadeiramente, que só seria real o afeto se houvesse apenas um tio ou um irmão. Então, por que estranhar a possibilidade de que a concomitância não seja, necessariamente, algo violento?

Esses exemplos também podem ser úteis para pensarmos a questão da "falta de tempo" – se conseguimos amar dois irmãos, três primos, por que outros tipos de amor não seriam possíveis? Só é impensável ter duas relações afetivo-sexuais para quem centraliza a vida nesse formato de relação, mas retomaremos essa discussão logo mais.

Na bifobia, são comuns discursos como "você tem que escolher apenas um gênero" ou "decida se quer mulher ou homem!", que partem dessa mesma mononormatividade da monogamia, que, por sua vez, apaga outras possibilidades de existência que vão além do binário homem/mulher. É também daí que surge a imposição de escolha por rosa ou azul no gênero, nunca ambos em concomitância, potencialmente. Na mídia, vemos que, quando uma pessoa famosa se afirma bissexual e está em uma relação monogâmica, rapidamente surgem comentários como "então significa que ele/a trai o/a companheiro/a!". Esse tipo de raciocínio ilustra a ideia de que a quebra da monossexualidade teria também relações com a falha da monogamia, instaurando uma espécie de suspeita em relação à "promiscuidade" que não aparece nesses termos contra pessoas monossexuais, sobretudo as heterossexuais.

Sabemos que as comunidades sexo-gênero dissidentes sempre foram associadas à "destruição da família" e à "desobediência moral", mas há setores conservadores mesmo dentro dessas comunidades, que, na tentativa de serem aceitos pela norma, tentam se positivar através do rebaixamento de nossos próprios pares. E dizem: "eu sou homossexual, mas não sou como eles, eu defendo a família e os bons costumes", em um ressentimento que inventa uma interdição. Nessa suposta interdição, as demais pessoas sexo-gênero dissidentes estariam "proibindo" esses setores de se aproximarem da norma, quando, sabemos, é o contrário. Talvez mais do que tentar uma inclusão nessas normas que historicamente nos violentam, possamos ter orgulho de fazer parte, sim, da destruição de certos modos de existência que não admitem a multiplicidade. Compreendo que, em se tratando de pessoas muito feridas pelas violências coloniais, uma das formas de defesa pode ser justamente tentar ressignificar a ideia de família, de deus, de respeito e de responsabilidade e esse é um caminho possível, mas não podemos esquecer também que desistir de apostar nesses mesmos sistemas, criar outras palavras, outros sentidos também é uma possibilidade. Parte do exercício de descolonização é justamente não mais atribuir uma essência anterior às estruturas organizadas em nome de deus, família, em nome do bem, porque é justamente a crença nisso que nos faz tentar repeti-las. Friso esse ponto para ponderar que nem tudo deve ser ressignificado; talvez haja sistemas que devam mesmo ser destruídos.

Outro aspecto disso é que a não monogamia consiste em uma crítica ao modo como a normatividade monogâmica se orienta, e não é apenas uma implicância com um número. Isso se evidencia quando percebemos que, em alguns contextos, a poligamia é uma monogamia com mais gente, ou seja, mantém a mesma estrutura de poder centralizada no homem cis, a mesma coerção dos corpos das mulheres, e assim por diante. Assim, a questão não é numérica, mas referente ao modo como os vínculos acontecem, independentemente da quantidade.

Há ainda diversos outros termos, como *poliamor*, *amor livre*, *não monogamia consensual*, *relação aberta*. Todos apresentam sua localização histórica e geopolítica, e os segmentos que os utilizam têm suas motivações para tanto. No meu trabalho, não os utilizo por alguns motivos, como cito a seguir.

Poliamor, amor livre, relação aberta, não monogamia consensual: sentidos e significados

O termo *poliamor*, além da problemática quantitativa que eu já trouxe, acaba aludindo, em muitos casos, a uma centralização do amor romântico. Por exemplo, dificilmente vemos pessoas que se reivindicam como "poliamorosas/poliamoristas" utilizando essa nomenclatura para se referirem ao fato de amarem vários de seus familiares, vários de seus amigues e colegas de trabalho. Em geral, o que fica no senso comum é que poliamor se refere a vários amores românticos e/ou sexuais. Essa ênfase acaba reforçando alguns binarismos, como o de amor e amizade, que mais adiante retomarei.

Em um sentido mais amplo, todo mundo que ama mais de uma pessoa ao mesmo tempo em sua vida, quer esse amor envolva ou não práticas sexuais, poderia ser descrito como alguém "poliamoroso", se considerarmos o amor algo que vai além da dimensão romântica e/ou sexual. Essa constatação não é tão imediata justamente pela hierarquia implícita do amor romântico diante de outras formas de amar, expressa no uso mais comum do termo *poliamor*.

Já as expressões *amor livre*, *não monogamia consensual* e *relação aberta* são exemplos de uma adjetivação que, em muitos casos, não me parece ser o melhor caminho. Se dizemos amor livre e responsabilidade afetiva, temos de nos perguntar qual amor não seria livre e qual responsabilidade não seria afetiva. Quanto à expressão *não monogamia consensual*, que algumas pessoas pesquisadoras utilizam, novamente pergunto: qual não monogamia é forçada?

Se nossas demandas giram justamente em torno do direito ao próprio corpo, o discurso de que a não monogamia pode ser imposta acaba sendo falacioso. É impossível impor autonomia. Imagine se alguém dissesse que é a favor apenas da "homossexualidade consensual". Não soaria estranho? Especialmente quando sabemos que a heterossexualidade nunca é marcada e adjetivada dessa forma, tampouco a monogamia vem acompanhada de qualificações ou justificativas no seu próprio termo. Afirmar que a imposição da monogamia e a imposição da não monogamia são a mesma coisa seria como dizer, conservadas as especificidades, que a reivindicação de um lesbofóbico (que é contra a sexualidade alheia) é tão legítima quanto a da própria lésbica (sobre si mesma).

"Não tenho tempo para ser uma pessoa não monogâmica"

A "falta de tempo" é um dos comentários mais frequentes quando se fala em não monogamia. Percebo que, no senso comum, não monogamia seria apenas uma monogamia com mais pessoas. E, uma vez que a monogamia e o amor romântico orientam uma grande centralização da existência em torno da relação romântica, é compreensível o espanto de pensar uma mesma vida com outras relações nesse formato. No entanto, em uma perspectiva crítica sobre não monogamia, não se trata de simplesmente aumentar a quantidade de vínculos sexuais, mas de construir outra forma de vivê-los, independentemente de seu número.

É curioso quando dizem que mulheres mães, por exemplo, não teriam tempo para serem não monogâmicas, quando é justamente pela estrutura da monogamia e da misoginia que esse tempo lhes "falta". No sistema capitalista em que vive a sociedade dominante, o casamento heterossexual monogâmico ocupa um lugar fundamental. Diversas pesquisas[1] têm pontuado que ser uma mulher casada em uma relação heteronormativa acrescenta dezenas de horas de trabalho semanais a essas mulheres.

Não à toa, os setores mais conservadores da política brasileira sempre tiveram como pauta a "defesa da família", pois sabem que é por meio dessa instituição que uma série de violências e explorações é garantida, inclusive do ponto de vista financeiro. Mulheres, especialmente as não brancas, mães, empobrecidas, trabalham gratuitamente para a "família", garantindo serviços diários de limpeza, alimentação, cuidado das crianças etc.,

---

[1] Ver mais em "Casamento faz a mulher..." (2017).

como mostram os estudos interdisciplinares acerca da (re)produção social.

Embora se possa pensar que se trata apenas de uma questão de machismo, sabemos que não é em qualquer situação que esse tipo de cena se dá. Os homens que recebem esses serviços os acionam por meio do vínculo romântico que estabelecem com "suas" mulheres. A ideia de ser uma "boa esposa" ainda é muito associada a quão empenhada seria essa mulher na feitura do trabalho doméstico.

O acúmulo de tarefas que o sistema monogâmico, misógino e capitalista atribui às mulheres é o que lhes "tira" o tempo, não só para ter outros vínculos afetivo-sexuais, mas para ter um espaço para o descanso, o lazer, para se dedicar a projetos pessoais, organizações coletivas e assim por diante. Nesse sentido, a não monogamia crítica nos chama a atenção para a redistribuição das tarefas de maneira coletiva, para que ninguém seja sobrecarregado pela exploração de seu tempo.

Mesmo nas relações monogâmicas em que as duas pessoas cuidadoras (pai e mãe, mãe e mãe etc.) são igualmente dedicadas ao cuidado das crianças e da vida doméstica, ainda assim é possível que ambas se sintam sobrecarregadas, pois esse modelo de família não comporta de maneira saudável o trabalho e o descanso. Quando pensamos nos privilégios raciais e de classe social, percebemos que, para que essa conta feche, mulheres negras, indígenas e amarelas são as que ficam responsáveis pelo trabalho de cuidado. Em geral, as mulheres não brancas realizam esse trabalho de maneira precarizada, tendo suas reivindicações mínimas atendidas apenas com muito custo e com grande mobilização social de luta. Muitas, como foi o caso de minha mãe, indígena não escolarizada, são as que dão o suporte para que mulheres brancas e pertencentes à classe econômica dominante possam seguir com suas carreiras e estudos.

Também entre mulheres mães empobrecidas, é comum que outras mulheres (em geral suas mães, irmãs, amigas) façam o cuidado de suas crianças para que elas possam trabalhar fora de casa (às vezes, justamente no cuidado das crianças das famílias que as exploram). Nisso percebemos que, junto do racismo, a violência de gênero segue determinando e impondo às mulheres o trabalho de cuidado. Muito raramente ouvimos alguém dizer que deixou o filho com o avô, com o tio, com o amigo ou vizinho. Via de regra, é com a avó, com a tia, com a amiga, com a vizinha, que, com frequência, é uma mulher cis ou uma pessoa sexo-gênero dissidente.

No trabalho de escuta clínica, são comuns inúmeros relatos de mulheres cujos companheiros, além de, em sua maioria, não realizarem as funções de manutenção e cuidado da vida doméstica, ainda acresciam trabalho a elas. É comum que, em "brincadeiras", muitos homens cis-heterossexuais adultos reconheçam que não sabem lavar roupa, trocar fralda de crianças e adultos, limpar o chão, fazer comida, ou sequer onde ficam as próprias roupas. Não sabem não porque todos *a priori* já nasceriam com algum "gene" que os impediria disso, como tentam justificar os discursos machistas, mas porque a construção do que é ser homem cis-heterossexual lhes garante esse tipo de privilégio por meio da instituição família (primeiro por suas mães, depois por suas esposas).

Por isso, repensar essa estrutura é fundamental para que desconfiemos um pouco dos sonhos de final feliz postos no casamento. Se um homem cis aleatório nos exigisse essa série de trabalhos domésticos, provavelmente estranharíamos, mas, pela via do amor romântico, aprendemos que um bom marido é, entre outros fatores, aquele que não trai. Há uma infinidade de exemplos de homens cis-hétero que, além de receberem todo esse combo de trabalho gratuito, ainda agridem suas companheiras, que, nessa relação abusiva, temem que esse homem as deixe por outra, pois aprenderam que essa é a pior coisa que poderia acontecer. Se a moral cristã nos ensinou a utilizar a sexualidade das pessoas como motivo para desqualificá-las moralmente, prometendo que pela punição estaríamos seguras, agora sabemos que o gesto de querer prender, prever e controlar o outro, além de não garantir sua presença e seu amor, faz de quem prende um prisioneiro. Antes de cobrar uma promessa que não foi cumprida, questionemos a validade de sua premissa.

Aprendemos que, para evitar essa "catástrofe" da partida do outro, há que seguir todo um roteiro que garantirá que a prometida exclusividade sexual e romântica da monogamia seja cumprida, mas na realidade:

Lavar roupa não compra exclusividade sexual;
Limpar a casa não compra exclusividade afetivo-sexual;
Ser mãe e ainda cuidar sozinha dos filhos não
    compra exclusividade romântica;
Cozinhar todos os dias também não.
Cuidar da pessoa quando ela está doente, apoiá-
    -la nos momentos difíceis, tampouco.
Deixar para depois os próprios projetos
    pessoais, muito menos.
Nenhum tipo de trabalho garante exclusividade sexual.
Ser (lida como alguém) bonita ou inteligente também não.
Nada garante, nem promessa ou ameaça, nem
    papel assinado ou aliança.
Isso não deveria sequer ser prometido, pois o
    amanhã é um tempo que não temos.

Repensando a distribuição do trabalho

Quando conseguimos elaborar essa chantagem da monogamia, ficamos menos suscetíveis a uma série de manipulações misóginas, uma vez que é por meio do desvio que a moralização monogâmica faz com que tenhamos dificuldade em perceber o que, concretamente, é, de fato, uma perpetuação do machismo.

É triste que namoro seja sinônimo, especialmente para quem se relaciona com um homem cis-hétero, de cansaço (físico/mental) e desgaste, de modo que, diante da possibilidade de ter mais de uma relação desse tipo, as pessoas sintam tanta preocupação com o trabalho que terão.

Cabe nos questionarmos o que essa associação entre namoro e cansaço aponta sobre a monogamia e a heteronorma. Se reconhecemos que, de fato, é impossível se relacionar sem que haja algum trabalho (em suas diferentes dimensões), podemos avaliar se esse cuidado circula ou não, se ele se redistribui ou é vivido como sobrecarga. Em relações saudáveis, a gente cuida e é cuidado (ainda que não necessariamente da mesma maneira; cada pessoa o demonstra do seu jeito).

Ainda sobre as relações entre casamento, monogamia e exploração do trabalho, há uma expectativa social de que o "casal" terá de centralizar nessa relação toda a dimensão econômica. Muitos planos de saúde e outros protocolos burocráticos chegam a proibir que pessoas fora da monogamia familiar possam acessar os direitos, o que acaba sendo uma forma de punir redes de amizade ou de outros vínculos não monogâmicos.

Podemos ter muitas afinidades românticas, sexuais, com alguém, mas elas não necessariamente implicam uma compatibilidade também econômica. Muitas vezes só depois de casadas as pessoas percebem o abismo que há entre suas perspectivas de trabalho, profissão e finanças, uma constatação já posterior à tomada de decisões importantes.

Nessa desigualdade misógina, muitas mulheres adiam ou cancelam seus próprios sonhos, planos de estudo e outros projetos, enquanto seus companheiros acabam observando uma aceleração/facilitação igualmente proporcional ao "atraso" de suas companheiras.

Presume-se que, num geral, homens cis (especialmente brancos) são as pessoas mais adequadas para decidir o que se deve fazer com o tempo e o dinheiro coletivos. As ideias de mulheres e pessoas sexo-gênero dissidentes frequentemente são desqualificadas, satirizadas e descartadas, mas sua força de trabalho continua parte do manejo alheio.

Especialmente para pessoas empobrecidas e racializadas como não brancas, é fundamental que não deixemos o amor romântico adiar ainda mais os nossos sonhos (muitos dos quais são coletivos e intergeracionais), que esse projeto de monogamia não nos leve embora preciosas horas de descanso, nem as raras horas de lazer.

Autoestima, autoconfiança e fortalecimento psicossocial vêm muito menos do que a indústria farmacêutica e cosmética vende de transformações estéticas e muito mais do quanto nos aproximamos daquilo que nos faz brilhar os olhos, dos projetos de trabalho/estudo que façam sentido com nossa existência e nossos propósitos políticos no mundo. Se não há "garantias" nas relações amorosas, que pelo menos possamos vivê-las tendo cuidado com nossas próprias prioridades, pois sabemos que, enquanto homens cis brancos são desabituados ao cuidado coletivo, pessoas não brancas e sexo-gênero dissidentes são, em geral, muito afetadas pela culpa quando cogitam priorizar a si mesmas.

Apenas quando há uma coletividade maior na circulação e redistribuição dos trabalhos se torna possível que essas tarefas não sejam exaustivas e adoecedoras em sua sobrecarga. Por isso, a não monogamia precisa se aliar à luta anticapitalista, à antimisoginia, à anti-heterocisnorma, entre tantas outras, sobretudo à anticolonial.

Finalizo este tópico com um poema que é um convite a nos questionarmos: e se, em vez de seguirmos apenas o sonho de querer ser "esposa de alguém", nos abrirmos à possibilidade de não querer sê-lo?

Não quero ser sua esposa
Não saí do armário da heterossexualidade
  para entrar no da monogamia.
Não quero que você se acostume comigo como
  se habitua a ver um móvel todo dia,
Achando que pagando/prometendo
  garantias terá algum seguro.
Depois de ter sido sua amada e visto todo
  calor, brilho e alegria nos seus olhos,
Não quero ser sua esposa,
Entre a irritação e o tédio.
Não saí do mono-heterossexismo pra entrar na monogamia.
Não quero ser sua esposa, sem graça, sem gana, sem riso,
Acomodada e exausta com a vida,
  estacionada no cinza dos dias,
Com medo do perigo de tudo que é
  cor, com saudade de quem fui.
Quem diria, o casamento é a pior coisa
  que poderia nos acontecer.
Um solvente químico de toda
  espontaneidade, tesão e potência.
Não quero ser sua esposa, nem noiva, namorada ou amiga.
Não é que não quero uma das opções desse cardápio
Não quero o próprio catálogo.
Não saí de um armário para entrar em outro,
Não cheguei até aqui para ser sua esposa,
Para cultivar tudo que dizem que uma esposa deve ser.

E não quero investir minha energia em
    tentar fazer de ser esposa algo bom.
Não compro mais esse sonho hiperfaturado.
Não quero fazer sentido para a monogamia,
    para a família e para a igreja.
Não quero que seu amor me amanse a coragem, silencie meu
    desejo, acovarde minha ousadia e delimite meu olhar,
Nem que limite o seu.
Vem, meu amor, ter uma aventura comigo,
Com outros nomes que criaremos artesanalmente,
    comparsa dos meus crimes.
Posso te amar, mas não, não quero ser sua esposa,
Quero o mundo (que também sou).

Monogamia e não monogamia: uma questão de escolha?

Já tangenciei essa questão em alguns momentos até agora, mas é importante retornarmos a esse ponto, uma vez que é uma das grandes disputas em torno do tema que estamos discutindo.

Contextualizando, sabemos que poder escolher por si mesmo com quem se relacionar é um direito recente em nosso contexto (e em muitos), e, apesar das atualizações na legalidade, diversas instituições seguem inferindo de forma oficiosa, limitando e controlando de inúmeras formas esse exercício.

Mesmo na Constituição, o direito à liberdade continua condicional (de muitas maneiras), afinal o sujeito de direitos é livre para casar-se, desde que seja com apenas uma pessoa (bigamia é crime no Código Penal). Até muito recentemente, a união legal só era permitida se fosse entre um casal heterossexual, ou seja, pessoas homossexuais, por exemplo, estavam impedidas de acessá-la.

Com isso percebemos que tanto a quebra da monogamia quanto a quebra da heteronorma são vistas como um ataque àquela que seria a verdadeira família: monogâmica e heterossexual. Embora agora já tenhamos no Brasil a possibilidade jurídica de união estável homossexual, permanece a norma monogâmica. Até consideram que a união entre dois homens e duas mulheres seja família, desde que seja monogâmica.

Até recentemente, quem decidia com quem a filha se casaria era o pai, e nos dias de hoje, no ritual do casamento monogâmico, ainda há a performance em que o pai, a mãe ou outra figura de poder "entrega" a noiva ao noivo, como se fosse uma transferência. Há a expressão popular que diz que "o pai entrega a mão da noiva", que ilustra essa passagem. A família normativa se crê num lugar de quem pode e tem o direito de decidir com quem seus filhos vão se relacionar, e, muitas vezes, os critérios de escolha da pessoa certa (nunca várias) passam por filtros racistas, misóginos, gordofóbicos, transfóbicos, capacitistas e afins.

Uma vez casados, a orientação simbólica é a de que os cônjuges tenham "direitos" sobre o corpo do outro, uma inspiração que vem do monoteísmo cristão. Como já citado, no livro 1 de Coríntios (7:4) há o trecho no qual se diz que "a esposa não tem autoridade sobre o seu próprio corpo, mas, sim, o marido. Da mesma maneira, o marido não tem autoridade sobre o seu próprio corpo, mas, sim, a esposa". Com isso vemos que, embora muitas pessoas não associem a monogamia a uma religião específica, mas a algo universal e neutro, na verdade ela é uma orientação cujas bases vêm diretamente do cristianismo.

Na monogamia cristã, ao casar-se, a pessoa perde o direito de se relacionar com quem, como e quando quiser, pois precisa passar pela aprovação, perdão ou punição de um terceiro (a quem a família teria transferido o poder). Em diversos casos há uma perda do próprio nome e se passa a usar o sobrenome do cônjuge. Até recentemente as mulheres tinham de pedir autorização aos maridos para realizar procedimentos em seus próprios corpos, como no caso da laqueadura, entre outros cerceamentos ao direito a si.

Eu trouxe esse breve histórico para contextualizar o quanto o direito ao próprio corpo segue em grande disputa na sociedade dominante, e é a partir desse cenário que é possível compreendermos o espanto e o incômodo que pode haver com a não monogamia.

Uma das diferenças entre a não monogamia e a monogamia é justamente o tipo de reivindicação. Quando uma pessoa se reivindica não monogâmica, em geral essa é uma demanda relativa ao seu próprio corpo, não de que outra pessoa se relacione com um número x de pessoas. Já a monogamia, embora muitas vezes se diga que é uma "escolha pessoal", acaba por não ser referente apenas ao próprio indivíduo. Dito de outra forma, se monogamia fosse a mera decisão pessoal de se relacionar com apenas uma pessoa, não chamariam de traição quando a outra decide estar com outras. Isso nos anuncia que a monogamia não é uma proposição sobre o próprio corpo, mas se organiza em torno de um contrato mútuo de exclusividade sexual. Diante disso, podemos pensar: *Mas, se foi acordado, então está tudo bem; se as pessoas concordaram, está ótimo.*

É aí que entra outra preocupação: tudo que combinamos é ético e válido? O fato de as pessoas estarem de acordo, por si só, dá a esse acordo uma garantia ética? Será que é saudável terceirizarmos nosso consentimento em nome de um "combinado"? É importante considerar que a concordância com a monogamia é acompanhada de uma pressão global das monoculturas, que apregoam ao mundo que a monogamia é a única maneira justa de se relacionar.

Apesar dessa pressão social, a monogamia é narrada como uma escolha simplesmente espontânea, e isso oculta o fato de que, na maioria das vezes, a abdicação da própria autonomia afetivo-sexual faz parte de uma negociação implícita, é uma moeda de troca para que se possa exigir do outro que entregue o mesmo que se oferece. Talvez por isso, quando alguém recusa receber esse "presente" haja reações tão adversas. "Não, eu não quero que você deixe de estar, beijar, amar, se relacionar sexualmente com quem quiser, de sair para onde quiser como prova de amor a mim" pode soar até como uma ofensa, um desagrado.

A recusa desse combinado mutuamente coercitivo desestabiliza toda a economia moral da monogamia. Para que existam pessoas que se "sacrificam" por outras, é necessário que haja quem aceite esse "presente" e corresponda. Se não houver reciprocidade, quem se sacrificou "espontaneamente" nomeia a si mesmo como coitado/trouxa e ao outro como egoísta, ainda que este nunca tenha solicitado tal renúncia.

Após tantos séculos subjetivados nessas lógicas, é difícil desaprender esses roteiros que nos ensinam que prova de amor é abdicar de si, que é abrindo mão da nossa autonomia que demonstraremos o quanto cuidamos, amamos e nos importamos com o outro.

Por mais que possa parecer estranho, é um gesto de afeto recusar esse sacrifício de quem diz nos amar. Além disso, é uma forma de autocuidado, pois aceitar esses "presentes" das renúncias da autonomia do outro é como uma assinatura invisível que fazemos de um contrato violento. Em vez de buscar igualdade nivelando por baixo quem se sacrifica mais pelo outro, que possamos cogitar outros critérios, como autonomia, alegria, expansão e transbordamento.

Vimos, portanto, que, embora seja bastante comum que as renúncias e a centralização em apenas uma pessoa sejam narradas como algo espontâneo e individual, na verdade elas fazem parte de uma complexa trama de posicionamentos ditos e não ditos.

A passagem da vida de pessoa solteira para a de casada não se faz sem uma série de renúncias, vendidas quase como um "dote" emocional da monogamia. O enunciado que fica é: veja como abri mão do que amava por você, perceba o tanto de alegrias que não terei mais e "quite" essa dívida renunciando a suas relações também.

Essa reciprocidade das renúncias não faz desaparecer o grande custo que todos esses abandonos podem trazer. Muitas vezes, lentamente, a pessoa até então alegre vai se tornando insegura, amarga e ressentida. Com cada vez menos energia e com nutrição emocional variada, vai se tornando mais e mais dependente daquela única relação e tendo menos energia e disposição para cultivar algo que vá além daquela redoma. É nesse momento de baixa imunidade emocional que muitos se convencem de que na verdade nem gostam tanto assim de estar com outras pessoas, que nem querem mesmo ter outros planos, projetos e partilhas com outros vínculos. É preciso acreditar nisso para se convencer de que vale a pena dedicar toda a sua vida a uma única relação.

Alguns poderiam dizer que dá para ser uma pessoa monogâmica e ainda assim ter relações saudáveis e fortes com amigas/os/es, trabalho, lazer. Sim, concordo, mas esses são casos em que se vai na contramão do que a monogamia orienta. Afinal, o próprio binarismo solteiro *versus* casado já ilustra essa problemática. Se alguém é livre para amar amigos, mas enfrenta uma série de limites quanto ao modo como esse amor poderá ou não se manifestar, realmente há liberdade para a construção de vínculos? Retomarei o tema amor e amizade mais adiante.

Não é uma escolha se quando você não quer mais, se quando desobedece, você sofre sanções emocionais, judiciais e institucionais.

Essas ponderações que fiz não se aplicam aos desejos experienciados no campo dos fetiches e fantasias, pois neles a encenação, o jogo e a brincadeira situam o consentimento de uma outra forma. Em outras palavras, não estou buscando aqui moralizar o desejo de entrega ou sensações como a de se sentir, momentaneamente, em posse de alguém, de maneira prazerosa e lúdica. Não há problema algum em negociarmos em nosso erotismo as fantasias que temos, em toda sua multiplicidade; pelo contrário, pode ser um espaço muito propício para acolhermos e elaborarmos uma série de processos subjetivos e psicossociais. O problema é quando começamos a acreditar que, para além desses momentos consensuais encenados, em nossas vidas somos realmente objetos da posse e controle de outra pessoa.

"Monogamia é natural porque há espécies animais que são monogâmicas"

A palavra *monogamia*, em sua etimologia, tem no sufixo -gamia uma referência a casamento, ou seja, monogamia seria o sistema em que haveria apenas um casamento. Se a prescrição ideal da monogamia era que cada pessoa tivesse apenas um casamento ao longo da vida, com o tempo vimos que essa exigência tem sido cada vez mais flexibilizada.

Como já dito, o princípio da indissolubilidade do vínculo é parte do sacramento monogâmico, mas ele vem sendo revisto, uma vez que direitos como o do divórcio têm trazido importantes mudanças. Diante disso, é possível dizer que, em nosso contexto, no contemporâneo e para o senso comum, monogamia significa um casamento/união por vez. Tanto é assim que, como mencionado, a maioria das pessoas que se afirmam monogâmicas já teve mais de uma relação romântica e/ou afetivo-sexual ao longo da vida.

Por essas e outras questões é que vemos que a noção de monogamia também vai mudando ao longo da história, porque se trata de uma construção geopolítica, amparada por uma série de instituições e regimes sociais. Da mesma forma, a não monogamia também não é "inata", mas uma forma de elaboração e construção psicossocial, situada em um tempo e um espaço. Como já pontuado, pessoas não monogâmicas também podem ter apenas um parceiro sexual, já que a não monogamia não se define por quantidade. Retirando o critério numérico, a qualificação relacional dos demais bichos vai se anunciando como algo bem mais complexo do que os prefixos -mono ou -poli podem sugerir em um primeiro momento.

De acordo com Ivana Cruz, professora de Genética Evolutiva na Universidade Federal de Santa Maria,

> a natureza sempre privilegia a diversidade genética, que, geralmente, é obtida por meio da reprodução sexual com diversos parceiros. Entre os mamíferos, apenas 5% são monogâmicos. Na natureza, ter apenas um parceiro é exceção. Entretanto, para algumas espécies essa não é a melhor estratégia, porque é preciso cuidar dos filhotes para que eles sobrevivam. É o caso de muitas aves e do próprio ser humano.[2]

---

[2] Martini (2015, s./p.).

Segundo a autora, a monogamia seria um comportamento evolutivo dos humanos e ela associa tal "evolução" a uma condição inescapável de um suposto melhor cuidado dos filhos. Essa alegação dialoga com o que foi trazido anteriormente, quando comentei sobre a associação racista que algumas pessoas pesquisadoras fazem da não monogamia com povos primitivos e da monogamia com a civilização.

Ao contrário dos demais bichos que a pesquisadora citou, a monogamia não tem garantido um melhor cuidado para as crianças humanas, da mesma forma que os modos coletivos de cuidado não são, necessariamente, exemplos de descuido. Pelo contrário, em povos indígenas e quilombolas, por exemplo, nos quais as crianças são cuidadas por toda a comunidade, não verificamos a mesma sobrecarga de trabalho nas mães, tão elementar na monogamia e na precarização do amparo às crianças. A monogamia, em nosso território, não tem impedido que tantos milhares de abandonos paternos aconteçam, tampouco tem assegurado uma redistribuição do cuidado das crianças, da feitura da alimentação ou do trabalho doméstico.

A idealização da monogamia confunde, portanto, as promessas monogâmicas com seu cumprimento na prática. Assim, é preciso ter cuidado ao associar monogamia a cuidado e evolução e não monogamia a descuido e selvageria, porque isso reforça estereótipos racistas e coloniais. No contexto do "mito do bom selvagem", nossos povos ora são generalizados positivamente, ora negativamente, mas ambas as generalizações são parte da mesma violência que nos homogeneíza. Nesse sentido, é importante reconhecer que as formas de organização indígenas não são rudimentares ou menos complexas que as "evoluídas" da monogamia civilizatória.

Para além disso, impor aos demais bichos instituições políticas típicas de humanos é um gesto antropocêntrico bastante arriscado. Buscarei ilustrar essa questão por meio de mais dois exemplos: a questão de raça e a de sexualidade.

Quando usamos, nos movimentos antirracistas, os termos *negro*, *branco*, *indígena*, *amarelo*, não estamos recorrendo a categorias biológicas, uma vez que já é um consenso científico que "raças biológicas diversas" não existem.[3] Apesar de sabermos disso, reconhecemos que o racismo persiste, uma vez que ele se pauta na ilusão de superioridade da branquitude.[4] É nesse contexto que branco e negro, por exemplo, não são apenas descrições neutras da realidade, mas também categorias sociais importantes. É por isso que, quando vemos um pássaro branco ou preto, por exemplo, não estamos usando categorias raciais, e sim uma simples descrição. Assim como as diferentes cores dos bichos não informam raça e racismo entre eles, a quantidade

[3] Munanga (2004).
[4] Schucman (2012).

de parceiros nos demais bichos não informa nem sua monogamia nem sua não monogamia, pois essas lentes partem da experiência social humana.

Ilustrando agora com base na questão de gênero, é um equívoco qualificar a sexualidade dos bichos como homossexual, heterossexual, bissexual ou lésbica. Novamente, essas noções são construções políticas humanas.

De acordo com o historiador Jonathan Katz,[5] em seu livro *Invenção da heterossexualidade*, houve uma passagem historicamente datada da noção de práticas sexuais como algo que as pessoas faziam para algo identitário, em que essas ações se tornam um resumo do que a pessoa é no mundo. Nesse sentido identitário, a heterossexualidade é recente, tanto quanto homo, bi e lesbianidades também são. Elas foram criadas com o objetivo de construir uma hierarquia política entre as diferentes práticas, ou seja, para conferir a determinado grupo de pessoas o privilégio de ser saudável. Era necessário ter um contraste com as que tinham condutas "psicopatológicas"; para que uma fosse sagrada, foi necessário ter outras como profanas, e assim por diante.

Basicamente, identidades coloniais existem para tentar dar uma lógica, um sentido racional às desigualdades. Elas não definem apenas com quem alguém se relaciona sexualmente, mas sobretudo buscam determinar um certo modo de

---

[5] Katz (1996).

estar no mundo. Se até para os seres humanos as categorias de orientação sexual têm suas problemáticas, muito mais para os demais bichos, que não são constituídos pelas mesmas relações de poder.

Finalizo este tópico reafirmando que atribuir termos e posições políticas construídos pela sociedade dominante é um gesto colonial e antropocêntrico. Se generalizar o pensamento hegemônico a todos os humanos do planeta já é, no mínimo, uma arrogância metodológica e epistêmica, estender essa monocultura aos demais bichos é ainda mais grave. Os demais seres não são nem monogâmicos nem não monogâmicos, nem heterossexuais nem homossexuais, e recusar categorizá-los assim é uma forma de respeitá-los, de não os rebaixar aos sistemas coloniais inventados por (determinados) humanos.

Monogamia previne infecções sexualmente transmissíveis?

O imaginário da promiscuidade, frequentemente associado à não monogamia, produz discursos como o de que a monogamia protegeria a saúde sexual. Há um longo percurso histórico nesse tipo de associação que atribui a grupos minorizados (como as comunidades compostas de pessoas sexo-gênero dissidentes e a de prostitutas) a responsabilidade pela disseminação de doenças. Junto disso, costuma haver um forte estigma social contra esses grupos, uma vez que, como nos ensina Michel Foucault (1988) em *História da sexualidade*,[6] é comum haver um fortalecimento moralista entre crime-pecado-doença.

Como lembra Christian Dunker, "durante os anos 1990 lemos na aparição do HIV/Aids uma espécie de castigo divino contra homossexuais e todos que exerciam 'demasiadamente' sua liberdade sexual [...]".[7]

Quando se projeta em pessoas não monogâmicas uma maior incidência de infecções sexualmente transmissíveis (ISTs), o que temos é justamente um exemplo desse pânico moral que quer crer que haverá alguma punição contra quem desobedece ao "caminho reto" da monogamia. Assim como esse receio, há a ameaça de que pessoas não monogâmicas acabarão sozinhas, que haverá em algum momento uma punição para sua dissidência. Esse discurso também é comum quando se pensa em pessoas sexo-gênero dissidentes e se diz que seu sofrimento é causado pelo pecado, enquanto, na verdade, o sofrimento social vivenciado por grupos subalternizados não vem de sua própria vivência, mas do preconceito e discriminação da sociedade dominante.

---

[6] Foucault (1988).
[7] Dunker (2021, p. 157).

Associar o debate da sexualidade a um tabu, a uma parcela específica da sociedade, é um retrocesso, inclusive para os grupos hegemônicos, pois, ao contrário do que essas narrativas moralistas apontam, a saúde sexual deveria ser um debate público voltado a todas as pessoas; ninguém está imune por si.

Nos últimos anos houve um crescimento exponencial de ISTs na população cis-heterossexual. De acordo com a Secretaria de Saúde do Estado da Paraíba (2019), o aumento percentual foi de 1.370% nos últimos dez anos. Apesar de, no imaginário social, as ISTs serem comumente associadas à população de pessoas sexo-gênero dissidentes e/ou pessoas "promíscuas", diversos estudos[8] têm demonstrado que é no âmbito das relações de namoro/casamento que essa disseminação mais vem crescendo.

Se lembrarmos que a traição (no sentido de sexo extraconjugal) está presente em cerca de 70% das relações monogâmicas brasileiras,[9] podemos perceber que contar com a promessa de exclusividade sexual não tem sido uma opção sólida. Nisso, muitos casais usam a "fidelidade" e "confiança" quase como um método de prevenção de ISTs, e a negociação do uso da camisinha é uma grande dificuldade para muitas mulheres em relações cis-heterossexuais, em um cerceamento que soma

---

[8] Um desses estudos é o artigo de Leilane Sousa e Maria Barroso: "DST no âmbito da relação estável" (2009).
[9] Ver "Infidelidade entre casais" (2015).

o constrangimento do amor romântico com a misoginia e a monogamia.

Ainda é raro que, ao iniciar um namoro, as pessoas falem sobre a importância de atualizar os exames e de fazer uso contínuo de métodos de prevenção/de barreira. Para práticas sexuais genitais e orais entre pessoas com vulva, há ainda menos métodos de barreira viáveis, somado a um enfraquecimento nas redes de amparo e suporte nos sistemas de saúde, um reflexo das punições a tudo que escapa da heterocisnorma, o que dificulta, também, o pleno acesso à saúde sexual. Também quando pensamos no racismo, sabemos que ele é uma barreira no acesso de pessoas não brancas aos sistemas de saúde, bem como também a gordofobia, o capacitismo, o elitismo e outros marcadores atuam como limitações nesse acesso. Aproveitando-se desse cenário estrutural de precarização do acesso à saúde (não apenas sexual, mas em todas as suas dimensões), vemos que a moralização ganha um espaço maior. A proibição monogâmica encontra um terreno fértil nesse contexto de pânico moral, ainda que ela não tenha resultado, de fato, na prevenção e promoção da saúde sexual. Ao contrário, o tabu em torno da sexualidade contribui para uma maior exposição a riscos de saúde, uma vez que a vergonha e o encobrimento reforçam a invisibilidade das discussões. Esse tabu é presente inclusive em contextos de formação dos profissionais de saúde, muitos dos quais ainda perpetuam o estigma em espaços que deveriam ser de acolhimento.

Como sabemos, a promessa da exclusividade sexual é quebrada diariamente por muitas pessoas, e, por muitos fatores, é comum que não se conte aos companheiros/as que houve essa quebra. Entre esses fatores há uma marcação de gênero importante a ser pontuada: mulheres correm risco de vida em situações como essa, uma vez que, como abordado, o feminicídio vem sendo bastante relacionado a ciúme, posse, controle. Não há, socialmente, a mesma punição contra homens cis que "traem" suas companheiras. Para além disso, em minha experiência como psicóloga e ministrante de formações sobre essas temáticas, já ouvi inúmeros relatos de pessoas que preferem não contar ou adiar esse momento ao máximo, por receio de perder o acesso a seus filhos, por viverem uma relação de dependência financeira etc. Há ainda o receio de "perder" a pessoa com quem se relacionam, uma vez que a monogamia não admite concomitâncias.

Junto disso, há o peso moral – novamente desigual no sistema de gênero, classe e raça –, que angustia muitas pessoas que temem o modo como serão vistas no trabalho, na família, no círculo de amizades. Já acompanhei casos em que a pessoa não queria contar para que apenas ela tivesse direito a outros vínculos sexuais, limitando sua/seu companheira/o enquanto isso.

Enfim, há inúmeras narrativas quando pensamos nos motivos que levam alguém a encobrir suas relações extraconjugais, e não pretendo aqui esgotá-los. Apenas pontuo que um dos efeitos desse encobrimento é justamente a diminuição dos debates sobre saúde sexual. O tema das ISTs é bastante acompanhado por culpa, vergonha e estigma, mas é uma realidade que atinge milhões de pessoas, que, quanto menos expostas ao moralismo e mais abertas à discussão sobre métodos de redução de danos e tratamento, tanto mais conscientes de seu papel no cuidado de si e no cuidado do outro.

Não se trata de exortar as pessoas a renunciar a atividades sexuais como método de prevenção, mas de repensarmos coletivamente de que modo o exercício da sexualidade pode se dar da maneira mais segura possível para todas/os/es.

Uma pessoa que tenha uma vida sexual ativa com várias outras, mas seja consciente em utilizar o máximo de métodos de prevenção que puder,[10] colabora muito mais para sua saúde e para a saúde coletiva do que aquela que se relaciona com apenas uma baseada no questionável método da "confiança".

Sempre que me pedem exemplos de gestos de "responsabilidade afetiva", digo que este é um deles: ser responsável

[10] Como já dito, é importante termos em vista que ainda há muito que se avançar na produção e no acesso a esses meios.

com a própria saúde sexual é também um cuidado coletivo, cultivando, assim, um amor e uma confiança que constituam um impulso maior para nos cuidarmos, não um motivo para que não o façamos.

"Não monogamia é desculpa de homens machistas"

Em matérias jornalísticas, em postagens em redes sociais, em rodas de conversa no bar, esse argumento é dos mais frequentes quando o tema é não monogamia. Muitos dizem: "Sou contra a não monogamia porque através dela os homens poderão ficar com mais pessoas, e isso é machismo".

 É importante que nos perguntemos: se alguém beija ou se relaciona sexualmente com uma, nenhuma ou várias pessoas, por que isso incomoda terceiros? O valor de uma pessoa não deveria ser medido por sua vida sexual, inclusive porque essa moralização é especialmente violenta contra mulheres e pessoas sexo-gênero dissidentes. De cidades pequenas e rurais a cidades grandes, nas metrópoles, ouvimos falas como "mulher rodada não presta", "mulher que se relaciona com vários não se respeita, não tem valor, não é de família".

Essa vigilância sobre a vida sexual das pessoas, como eu disse, tem efeitos concretos muito mais intensos para mulheres e para pessoas sexo-gênero dissidentes. O mesmo discurso que associa a ética à vida sexual consensual alheia é extremamente problemático. Exceto em situações em que o vínculo foi forçado via assédio, abuso ou estupro, a conduta sexual de alguém não deveria ser associada a atributos negativos.

Se lá em 1500 a lista dos pecados mais abomináveis eleitos pelos padres já incluía o direito ao próprio corpo, o que vemos é que essa racionalidade permanece. Muitas vezes se diz que um homem cis foi machista quando, na verdade, o que houve foi uma quebra do pacto de exclusividade monogâmico – e esse tipo de quebra não deveria ser considerado diretamente um sinônimo de machismo. A distorção da moralidade monogâmica nos ensina a acreditar que a pior coisa que alguém pode fazer contra nós é beijar ou se relacionar sexualmente com outra pessoa, que a maior "violência" que poderemos sofrer será quando uma pessoa com quem nos relacionamos amar e se apaixonar por outra pessoa, e isso nos dificulta perceber o que realmente é violência.

Nesse sentido, um homem não é machista porque se relacionou consensualmente com outras pessoas; é machista porque homens cis são acostumados a abandonar suas companheiras quando elas adoecem, por exemplo. Da mesma forma como são acostumados a não participar do trabalho do cuidado das crianças, da limpeza doméstica, da feitura do alimento. Quando pararmos de acreditar que a pior coisa a ser feita contra nós é alguém ter direito à própria sexualidade, conseguiremos perceber o que, de fato, é privilégio cis-hétero masculino.

Quantos milhões de relações há em que mulheres se veem recorrendo ao trabalho de outras mulheres (em geral não brancas) para que cuidem de seus filhos e limpem sua casa, já que seu marido, seus amigos e parentes homens cis jamais são responsabilizados pela manutenção diária da vida? Sempre vemos que no amparo das mães estão outras mulheres, como as avós, as tias, as amigas. Em que pese nessa questão o racismo que atravessa as relações de terceirização do trabalho doméstico e do cuidado das crianças, é um serviço historicamente realizado por mulheres não brancas para pessoas brancas. Muito raramente esses milhões de homens adultos são acionados para essa dimensão imensa da produção da vida; quase sempre ela está na sobrecarga de mulheres não brancas. Frequentemente esse trabalho segue sem nenhuma remuneração, e há, inclusive, uma inversão.

Quantas vezes já não vimos mulheres sendo humilhadas por seus companheiros com o discurso de "eu trabalho pra te sustentar"? Essa inversão ignora que é justamente o trabalho doméstico não pago que sustenta os demais trabalhos, e a exploração é base para o capitalismo, o racismo e a misoginia. Não é de admirar que a monogamia seja defendida por todos os setores conservadores: ela beneficia toda uma série de opressões.

Infelizmente, a displicência estrutural do machismo raramente é narrada como "traição" ou falta de responsabilidade (afetiva, econômica, política). Apenas o ato de beijar outra pessoa já é nomeado pela sociedade como traição nas manchetes.

O machismo se aproveita da monogamia para se fortalecer, para naturalizar o trabalho não pago, e muitas vezes é apenas no momento da "traição" que a pessoa se sente trouxa, enganada, sente que todo o seu esforço foi em vão para aquilo que ela esperava. Essa pessoa percebe que toda a renúncia e secundarização de si foi inútil. Mas o ponto é que, mesmo que a pessoa não quebrasse o contrato de exclusividade, não seria saudável centralizar a vida em torno de alguém, ainda mais quando isso envolve tantas horas, anos, uma vida de trabalho não pago. Não há moeda de troca possível que pague a garantia de que a pessoa que namoramos não vai desejar, se apaixonar e/ou amar outras pessoas além de nós. Essa garantia não existe, e reconhecer isso pode ser muito libertador.

Heterocisnorma e machismo

Comentei o mútuo fortalecimento entre monogamia e machismo na exploração do trabalho doméstico, mas é muito importante assinalar que a heteronorma também é fundamental para esse sistema. Sabemos que mulheres heterossexuais e bissexuais não prestam esses serviços de limpeza, feitura de alimentos e afins a quaisquer homens de modo indiferenciado; esse benefício chega sobretudo àqueles homens com quem elas têm vínculos desse amor colonial (ainda que esses serviços também cheguem a outros homens cis). Espera-se que uma mulher limpe a casa e cozinhe apenas para seu marido (ou pai). É como se o casamento monogâmico assinasse uma expectativa de dedicação exclusiva. Da mesma forma como já comentei a respeito da nudez, espera-se que seja um "produto" exclusivo do marido. Tanto é assim que no senso comum ser mulher e ser esposa são frequentemente usados como sinônimos, "o marido e sua mulher", enquanto para os homens cis ser homem e ser esposo são posições mais independentes.

Como já posto, a maioria dos feminicídios não é exercida por homens aleatórios, mas maciçamente por aqueles com quem as vítimas tiveram um vínculo romântico monogâmico, em que a ideia de posse é central no modo de amar. Novamente, feminicídio não tem a ver apenas com machismo, pois não vemos homens homossexuais, por exemplo, sendo os autores principais dessa violência, mas os heterossexuais. Isso informa três eixos:

1. A forma como homens e mulheres cis se relacionam afetivo-sexualmente, num geral, é violenta e perigosa às mulheres. Que seja dito que essa forma de amar é a monogâmica.
2. A violência doméstica contra mulheres tem um componente central de heterossexualidade. Que seja dito que essa heterossexualidade é essencialmente monogâmica.
3. A construção do parentesco cristão favorece o silenciamento dessas violências e a exploração físico-psicológica do trabalho das mulheres. Que seja dito que a parentalidade cristã impõe a monogamia, a cis-generidade e a heterossexualidade.

Quando falo dessa parentalidade cristã fundamentalista, quero chamar a atenção para a noção de homem e mulher cisgêneros, de mãe e de pai que conhecemos, que é profundamente informada por essa ideologia. É ela que ensina que a mulher deve ser submissa ao marido, que "homem de verdade" que vai para o céu é o heterossexual, que nenhum motivo é justo para interromper uma relação exceto o adultério e assim por diante.

A monogamia cristã nos ensina que ser amado se define pela não concomitância de relações românticas, mas esse critério é nocivo e equivocado. Se o que alguém faz de sua própria sexualidade deixar de ser o critério para nos sentirmos bonitas, confiantes, seguras, toda a chantagem e controle do machismo ficarão mais nítidos. Se, ao contrário do que a Bíblia ensina, o critério para uma relação poder ser interrompida não for apenas o "adultério", poderemos acolher outros motivos, como violência física, a falta de redistribuição do trabalho doméstico, o cerceamento da sexualidade etc., e com isso conseguiremos expandir nossas lentes para o que significam relações saudáveis.

Por séculos, homens cis-hétero se valeram da monogamia para chantagear mulheres, pagando simbolicamente o trabalho gratuito recebido com a prometida e hipervalorizada exclusividade sexual, que tem sido uma grande amarra na prisão emocional de mulheres, as quais, por sua vez, sofrem um controle severo de sua sexualidade/afetividade.

Agora, não é porque mulheres e pessoas sexo-gênero dissidentes. sofrem maior cerceamento de sua sexualidade que a saída será tentar fazer com que a dos homens cis seja igualmente controlada. Estruturalmente, outros grupos minorizados não têm "poder" para controlar a sexualidade dos homens cis; estes sempre quebraram a promessa de exclusividade sexual, e (felizmente) suas vidas não costumam ficar em risco por isso (o que acontece frequentemente com mulheres).

Em minha experiência pesquisando esse tema, inúmeras vezes escutei histórias de mulheres que me contavam que, quando descobriam que seus maridos haviam quebrado a exclusividade sexual combinada, elas sugeriam então que os dois abrissem a relação, para que também tivessem direito à sua liberdade afetivo-sexual. Ironicamente, a maioria desses companheiros se recusava ao convite. Isso porque, para eles, a monogamia nunca significou de fato uma restrição sexual, então abrir os termos dessa possibilidade é algo que muitos ainda negam para manter seus privilégios. Se a monogamia nunca foi um real empecilho à liberdade sexual de homens cis-hétero, não faz sentido o raciocínio de que a não monogamia seria uma forma de acessarem algo de que eles já têm pleno uso.

Com isso, tentar controlar a sexualidade dos homens cis para buscar uma equiparação com as mulheres é nivelar a igualdade por baixo, pelo cerceamento, e penso que não deveríamos buscar uma equidade em que ninguém possa ter direito à sua própria sexualidade; pelo contrário: que seja uma luta para que todas as pessoas possam vivenciá-la plenamente e de forma saudável.

Retornando à questão que intitula este tópico, há outra pergunta bastante pertinente: os homens não monogâmicos seriam menos machistas? Penso que o equívoco está na pergunta. Enquanto a identidade "homem e mulher de verdade" for defendida, teremos o rastro da violência, porque essa identidade é fundada na hierarquia. Homem e mulher não são meras descrições biológicas, são projetos políticos.

A questão não está, portanto, em uma reforma ou melhoramento de homens na não monogamia; está na construção de outros projetos que não tenham essas identidades no centro. A não monogamia não torna ninguém eticamente melhor, ela não é uma salvação, é uma possibilidade de construção para além da monocultura dos afetos. Se um homem cis não monogâmico controla a sexualidade da sua companheira, ele está praticando monogamia. Se ele só quer ter o direito ao exercício da autonomia, então ele segue exercendo a monogamia. Por isso esses exemplos não são ilustrações da não monogamia, e sim da continuidade da monogamia sob outros nomes. É por considerar esse fato que a ênfase da construção ética está nas práticas que adotamos, pois não basta adotar determinado vocabulário sem buscar uma relação de continuidade com a prática.

No próximo tópico, continuaremos este debate repensando os temas família e parentalidades.

Repensando família e parentalidades para além da monogamia

Não é possível pensar uma desconstrução de fato das relações sem pensar em família, heteronorma, maternidade e paternidade. Crescemos escutando frases como: "Não se separe, quer que seus filhos cresçam sem pai?". Esse raciocínio nos leva a pensar que, nesse sistema, um pai só exerceria a paternidade enquanto estivesse em um vínculo romântico com a mãe. Já o contrário não acontece: não ouvimos com frequência homens cis preocupados achando que se terminarem a relação seus filhos não terão mais mãe. Inclusive há muitos casos de filhos do primeiro casamento que são abandonados pelo mesmo pai que, no casamento vigente, se apresenta como zeloso e diligente para com os filhos da relação atual. É como se junto do lugar de ex-esposa houvesse um lugar de ex-filhos.

Os dados mostram isso: "em 2015, enquanto as mães solteiras[11] representavam 26,8% das famílias com filhos, os pais solteiros representavam apenas 3,6%".[12]

---

[11] O termo "mãe solteira" é problematizado pelos movimentos de mães, que sugerem "mãe solo" para melhor nomear a sobrecarga de trabalho na maternidade para além do arranjo de relacionamento.

[12] Soares, IBGE (2015, s./p.).

O imaginário de que o divórcio significa a "destruição" da família ainda é bastante forte em nosso contexto. Para que os filhos não "cresçam sem pai", a monogamia compele a uma manutenção da relação a qualquer custo, pois as pessoas nela envolvidas já pressentem que, terminado o vínculo romântico com a mãe, provavelmente não haverá trabalho parental por parte desses homens cis.

Mas, mesmo quando esses homens se mantêm na relação, qual a qualidade de sua presença? Há pesquisas que mostram que ser casada rende cerca de oito horas a mais por dia de trabalho (não pago) às mulheres, pois muitos homens adultos continuam a demandar de suas companheiras serviços básicos análogos aos recebidos por crianças.

Essa ideia de que o pai só teria deveres legais se estivesse com a mãe gera uma série de efeitos. Um deles, como já comentado, tem relação com a vulnerabilidade que atinge crianças geradas fora do matrimônio, bem como crianças de relações "oficiais" interrompidas. Isso se evidencia quando vemos que foi necessária a criação de uma lei que obrigasse os pais ao pagamento da pensão alimentícia.

O ideal de que família perfeita é aquela que permanece junto no casamento a despeito da qualidade dos vínculos é reforçado pela pressão social que coloca o "fim" das relações como um sinal de fracasso e que nomeia famílias que fogem à norma como "desestruturadas".

É por isso que torno a reforçar que mãe e pai não são apenas descrições biológicas, mas designações de um certo modo de estar no mundo e de construir laços. Nessa "família normal", a figura do pai é sinônimo de autoridade, hierarquia, poder e controle. É comum que pessoas dissidentes do gênero e da sexualidade escutem que lhes faltou um "pai de verdade" que as colocasse nos eixos, que as mães "estragam" as crianças quando não as tratam com violência, quando não lhes impõem a pregação heterossexista.

Crianças precisam de apoio, carinho, cuidado e suporte; se recebem esse amparo de pessoas de confiança, não se deveria pensar que lhes faltou um pai ou uma mãe. A função do cuidado pode e deveria ser exercida coletivamente, independentemente dos termos de parentalidade.

A mesma estrutura familiar nos ensina que alguém sem namorado ou marido está só, colocando maior importância nesses nomes do que nas práticas relacionais. Se temos pessoas que nos amam, nos apoiam e nos fortalecem, não estamos solteiras/sozinhas. Ou companhia só conta se for a dos modelos da monocultura? Nos ensinam na família que respeito é obediência, que autonomia de pensamento é ofensa, egoísmo e ingratidão. Que família deve se manter unida apesar de tudo.

Na direita, vemos que o lema "deus, pátria, família e tradição" vem reforçar essa presunção de que família será o local em que a norma será atualizada. Por isso, famílias compostas de pessoas de outras posições de gênero e sexualidade são rapidamente deslegitimadas como famílias. Não se entende que uma "mulher de família" se relacione sexualmente com outras mulheres, por exemplo, porque essa família é heteronormativa. Tampouco se espera que essa mulher de família possa se relacionar afetivo-sexualmente com mais de uma pessoa se for de seu desejo. Também não se nomeia como família o vínculo de duas amigas, e assim por diante.

Essas tantas outras possibilidades de parentalidade não são reconhecidas pelo Estado, porque, no Brasil, o estado civil de alguém é definido pela posição que se ocupa no vínculo afetivo-sexual. Não se espera que um divórcio seja a separação entre três amigos, que viúva seja a pessoa cuja amiga faleceu.

A conquista da união estável para pessoas sexo-gênero dissidentes (em especial me refiro aqui às comunidades lésbicas, homossexuais e bissexuais) foi um avanço importante, mas, ainda assim, manteve uma conciliação com a monogamia. Um homem pode se unir com outro homem, desde que se presuma um laço sexual entre eles. Os demais vínculos amorosos não contam para o estado civil. Para suavizar o binarismo amor *versus* sexo, alguns até dizem "relação homoafetiva", mas sabemos que o termo segue sendo referente a relações em que se presume vínculo sexual. Não há outros cinco tipos de orientação para nenhuma outra forma de relação. Por isso monogamia e orientação sexual têm em comum uma centralização do sexo que ecoa em uma série de dimensões da vida.

Na formação de família, quando dizem "escolha alguém que você ama para viver com você", não se fala de qualquer amor, mas do amor que se tem pela pessoa com quem se relaciona sexualmente. Pouco se questiona se esse deveria ser realmente o principal critério para essas decisões, e com isso vemos que a noção de orientação sexual está muito mais ligada a uma orientação política do que a uma descrição neutra das atrações. Ela busca designar uma hierarquia relacional que só faz sentido no padrão familiar e monogâmico.

Se orientação sexual tivesse a ver apenas com sexo como prática sexual, veríamos com frequência homens hétero de mãos dadas na rua, mulheres hétero casando-se entre si. Mas não, não é apenas do sexo que a orientação sexual se faz; ela vai muito além, há todo um roteiro que deve ser seguido.

A descentralização do sexo

É por isso que uma não monogamia comprometida de fato com a descolonização também precisa questionar a centralidade do sexo e das orientações sexuais. É a partir daí que muitas outras hierarquias decorrentes dessa lógica podem ser desmanteladas.

Para quem você envia poemas, músicas, flores? Com quem você pensa em viajar, passear, dormir? Na monogamia as amizades são o plano B do amor, o estepe, o complemento. A amizade é bem-vista desde que não ouse borrar as "sagradas" fronteiras do amor e sexo; apenas esse amigo é tido como confiável.

É preciso desconstruir o binarismo tanto desse amor quanto dessa amizade, pois um informa o outro. Perguntemos: só consigo me sentir amado se demonstrarem desejo sexual por mim? Só consigo intimidade através do sexo? Quais companhias invisibilizo quando me digo só? Quem me inspira paixão e encantamento? É preciso desorientar-se do caminho reto para desfrutar de outras errâncias.

Com isso, o que percebemos é que a família segue definida pela hierarquia do amor romântico e do sexo. É ela que fabrica, violentamente, mais e mais o "homem de verdade", e a "mulher de verdade", que continuam acreditando que casamento é ordem e progresso, que heterossexualidade é o normal e as demais sexualidades uma perversão, e assim por diante. Solteiro, casado, divorciado só fazem sentido na ótica da centralização afetivo-sexual dessa formação familiar.

Algumas pessoas podem dizer que família de verdade não significa isso, que ela é de fato relativa a apoio, amparo, solidariedade, mas se a observarmos desde sua própria etimologia, a palavra *família* deriva de *famulus*, que significa servos/escravos domésticos de um senhor. As raízes dessa família que nos chega sempre estiveram fincadas na violência e na hierarquia. O desejo de ressignificar a família, de ressignificar a monogamia ou a heteronorma por vezes vem do imaginário de que no fundo esses sistemas seriam bons e saudáveis e de que o problema seria apenas a execução de alguns.

É fundamental, no entanto, questionarmos a positivação que fazemos desses sistemas quando atribuímos a eles uma boa origem, porque é justamente por isso que continuamos a repetir os mesmos problemas há tantos séculos. Se compreendermos que não apenas a prática, mas também a própria ideologia que fundamenta essas lógicas é violenta, seremos capazes de abrir espaço para sonhar outros sonhos e reflorestar nosso imaginário.

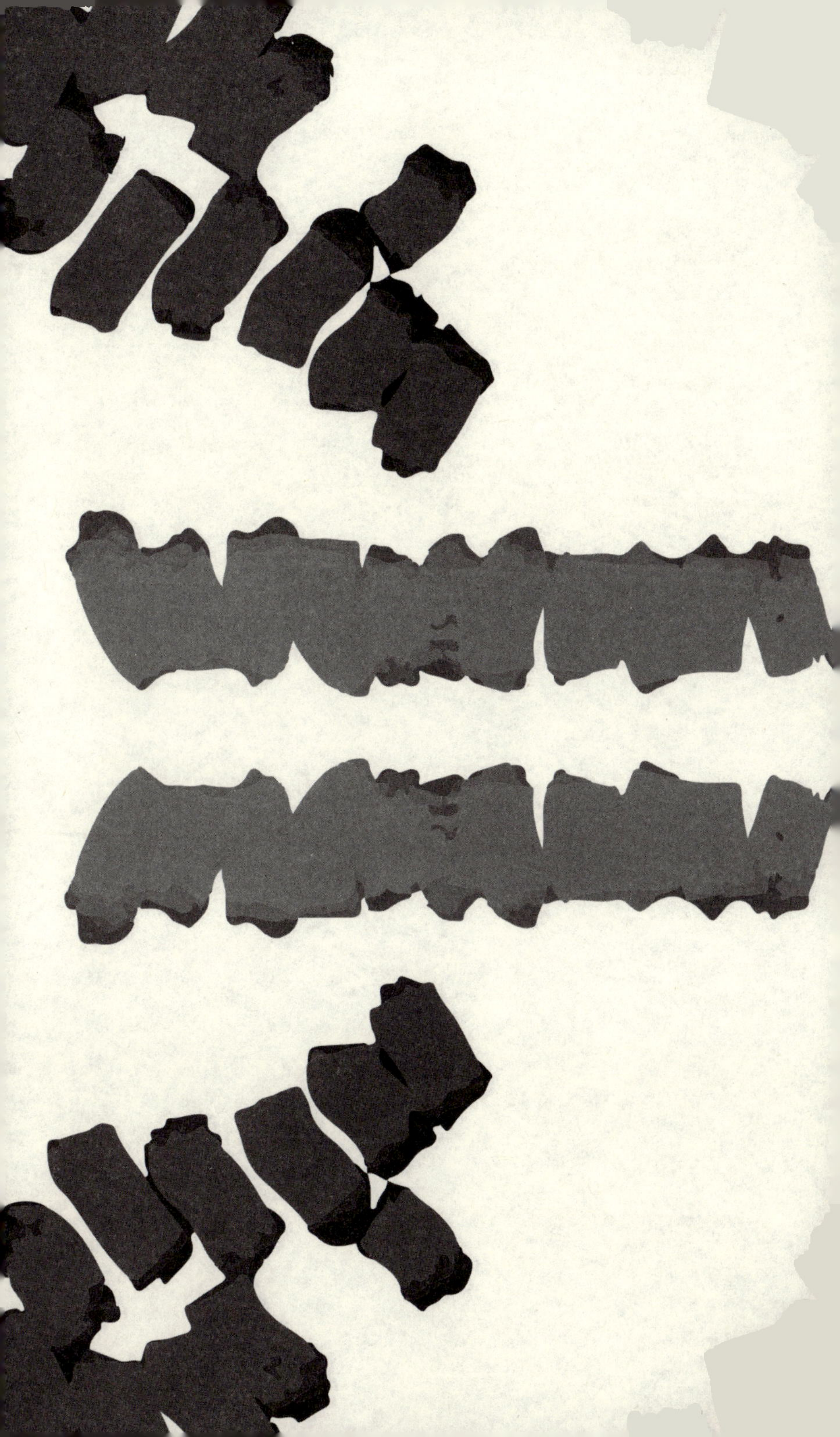

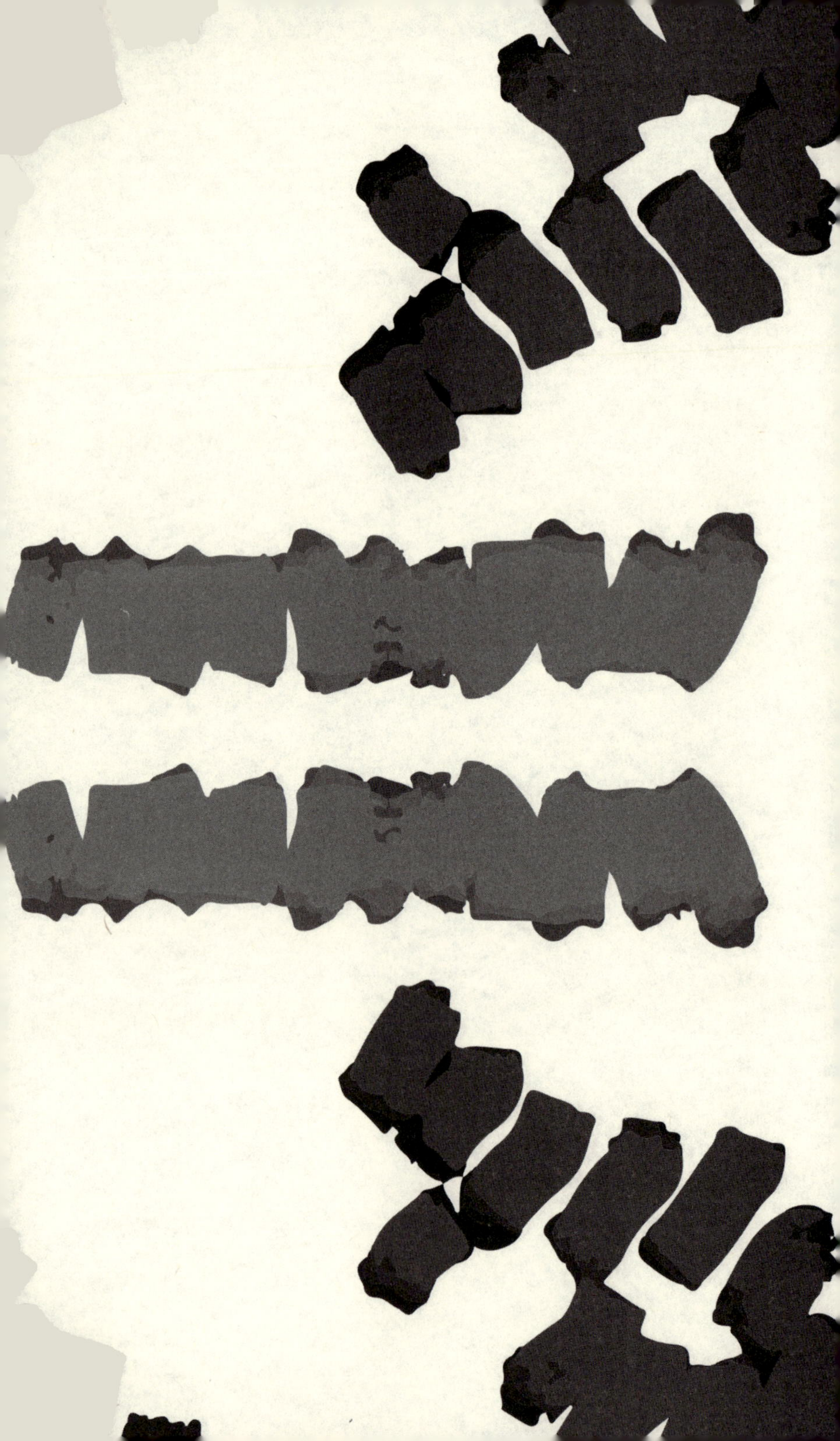

PARTE III

Os desafios da desconstrução, acolhendo inseguranças e angústias

Desafios da prática

Depois do passeio conceitual, teórico e histórico, chegamos a outros desafios: como lidar com tudo isso na prática? Nem sempre é automática a passagem daquilo que gostaríamos de sentir e fazer para o que de fato conseguimos. Penso que o caminho da descolonização precisa ter sempre em perspectiva o acolhimento das nossas vulnerabilidades. Esse acolhimento, por sua vez, demanda um trabalho coletivo, não apenas individual – por isso é necessário que todas as lutas caminhem juntas.

Aqui cabe refletirmos também sobre a ideia de que a desconstrução de modelos normativos seria algo possível apenas a pessoas privilegiadas. Há quem atribua maior machismo e violência contra pessoas sexo-gênero dissidentes por parte de pessoas empobrecidas e racializadas como não brancas – uma atribuição que é racista e elitista. Uma pessoa branca e da elite econômica não necessariamente é mais "consciente" das questões sociais; pelo contrário, pode até mesmo ser ativista na manutenção de seus próprios privilégios. Ser racista, machista, contrário ao direito de pessoas sexo-gênero dissidentes não é um efeito de pessoas "sem instrução"; essa ignorância é produzida política e historicamente e é transversal a todas as classes sociais. Nesse sentido, talvez menos do que apostar que pessoas que têm práticas preconceituosas sejam pessoas "sem consciência",[1] podemos pensar que elas têm sim uma consciência, mas uma consciência marcada e construída pelo racismo, pela misoginia etc.

É comum que se diga que "fulano era um homem de sua época/de seu contexto" com o objetivo de relativizar seu machismo, por exemplo. Esse tipo de raciocínio parece pressupor que nós, pessoas sexo-gênero dissidentes, não somos da nossa época; ignora que em todos os períodos históricos sempre houve grupos de dissidência. Se não foram escutados pelos "homens do seu tempo", isso é outra questão.

Há ainda quem diga que "quem é desconstruído é privilegiado". Essa é outra inversão. Nós, pessoas indígenas, negras, mulheres, pessoas trans, com deficiência etc., lutamos contra o racismo, o machismo, a transfobia e o capacitismo justamente porque esses sistemas são opressivos contra nós. Como diz bell hooks,[2] a teoria para nós pode ser uma forma de cuidado. Já que a narrativa hegemônica nos machuca, somos obrigados/as/es a criar outros caminhos para acolher nossas singularidades.

Nesse sentido, nós, pessoas não monogâmicas, não nascemos com uma iluminação especial, com um "gene" que torna mais fácil nosso processo. Pelo contrário, nascemos e crescemos exatamente no mesmo con-

---

[1] Ver mais em Bento e Carone (2002).
[2] hooks (2017).

texto histórico-político que as pessoas monogâmicas. Temos os mesmos desafios de lidar com o ciúme, a insegurança e angústias diversas. A diferença é que buscamos outros modos de lidar com esses processos, visando não cercear a autonomia alheia como única forma de aplacar nossos medos, buscando não culpar e moralizar terceiros pelo que sentimos. Privilegiado não é quem busca desconstruir as violências, mas quem se sente confortável com elas e procura ativamente manter suas estruturas de poder.

Vivemos um tempo em que as velhas respostas já não estão dando conta das questões que nos afligem. Ao mesmo tempo, ainda é difícil encontrar referências de outras formas de viver e se relacionar consigo mesmo e com os demais, que vão além das respostas da monocultura. Eu também faço parte desse caminho, e o que compartilho aqui com vocês é parte das minhas investigações, não só do campo da pesquisa acadêmica como também das minhas próprias relações. Sigo sempre aprendendo.

Reconhecendo nossa interdependência

Um dos aprendizados que as pessoas mais velhas de nosso povo nos trazem é o da interdependência. Não existe descolonização individual; ela é necessariamente coletiva e tem em seu centro a luta pelo território. Há certos discursos neoliberais que pregam a independência como um progresso civilizatório, também nas relações interpessoais. Parece haver uma vergonha em reconhecer a dependência que nos constitui. No entanto, nós, seres humanos, não somos autossuficientes, nunca fomos. Precisamos do ar, da água, da terra, do alimento; precisamos uns dos outros o tempo todo. Nossa interdependência e cuidado circular fazem a saúde da vida.

Descentralizar a dependência é mais saudável, a meu ver, do que buscar a impossibilidade de não depender de nada nem de ninguém. No amor romântico, a promessa é a de que tudo seja suprido por uma única pessoa, seja para dar sentido à vida, seja para ser a única fonte a ser demandada para tudo. Assim como a terra, que, quando abusivamente explorada, se torna estéril, o amor também seca quando se toma dele toda gota. O cuidado unilateral é extrativista.

Nos processos de autoestima, nós nos formamos em relação – a maneira como nos vemos é profundamente afetada pelo modo como nos veem. No entanto, se nos veem através de uma lente racista, misógina, transfóbica, o reflexo desse espelho relacional é quebrado, dolorido, distorcido. Construir terrenos relacionais em que possamos ser vistos/as/es com dignidade é parte intrínseca do processo de nos enxergarmos de modo saudável também.

Não há vergonha em precisar dos outros, humanos ou não humanos. Isso é sair do centro do mundo e assumir um papel de parte dele. Circular o cuidado é reparação histórica também, não precisamos dar conta de tudo, nem dar conta sozinhas de nós mesmas. Interdependência anticolonial, redistribuída, também é autonomia.

O exercício da coletividade

Nesse processo de descolonização, o exercício da coletividade é imprescindível. Isso tudo exige um trabalho emocional e psicossocial comunitário. Sabemos que, historicamente, esse trabalho vem sendo realizado de maneira unilateral, sobretudo por mulheres (especialmente as não brancas) e por pessoas sexo-gênero dissidentes. No entanto, em relações saudáveis entre adultos, em vez de o cuidado se dar apenas em mão única, ele circula. Não precisa retornar da mesma forma, mas algum tipo de redistribuição acontece, equilibrando o vínculo em um ecossistema em que somos cuidadas/os/es ao mesmo tempo que cuidamos.

A noção colonial de exploração da terra, dos rios, das matas, é a mesma que opera na exploração do nosso território-corpo, esgotando-o, cansando-o, exaurindo-o. A vida é um laço de interdependências, e, para que seus fluxos se movimentem de maneira saudável, é necessário que o cuidado seja reparador. Todos os seres merecem bem viver para além de sua utilidade, de sua funcionalidade para os outros. Que as expressões afetivas sejam também sobre transbordamentos e abundâncias, e não apenas sobre faltas e necessidades.

Ainda sobre a importância da coletividade, ressalto que, ao contrário das projeções contra a não monogamia, referentes ao individualismo e ao egoísmo, o que devemos buscar é justamente um comprometimento coletivo. Na monogamia, a frase "estou comprometido" é frequentemente usada como sinônimo de estar em um relacionamento. E só há uma vaga (oficial) disponível para essa posição, com todo um plano de controle e contenção contra os vínculos que no passado e no futuro possam, de alguma forma, ameaçar quem se apossou da única vaga disponível. Isso tudo contribui para o descarte de outras relações possíveis, favorecendo a competição e a solidão, especialmente para grupos marginalizados.

Penso que essa expressão ilustra bem o marco de cuidado e compromisso que a estrutura monogâmica impõe: quem estiver solteiro, a princípio, não precisa ser alguém comprometido. Da mesma forma, quando se diz que há relacionamentos sérios, o complemento não dito é que haveria relacionamentos banais, não sérios. E me pergunto: quais seriam os relacionamentos não sérios? Por que o comprometimento não é reconhecido neles?

Na descolonização dos afetos, o comprometimento não se restringe a uma relação, mas abrange todas. Não se trata apenas de incluir mais pessoas na categoria "oficial", mas justamente de repensar o formato do compromisso. Por isso, precisamos "abrir" a palavra *compromisso* e ver a que ela em geral costuma aludir. Na monogamia, comprometimento é sinônimo de uma exigência de constâncias, contratos e inflexibilidades atemporais, e sua principal demanda é centrada na proibição da concomitância de vínculos afetivos. Mas, para além disso, quais outras formas de comprometimento podemos criar, cultivar, exercitar? Penso que incentivar a autonomia, o trabalho coletivo redistribuído, o suporte e amparo na vida são possibilidades.

A luta anticolonial nos convida a um comprometimento com todos os seres, cuidando e sendo cuidados, sem que haja um vestibular especista e monogâmico orientando quem merece dignidade.

Binarismo e suas problemáticas

Um ponto central do pensamento e da luta anticolonial é reconhecer os efeitos nocivos do binarismo, pois sem reconhecê-los não há como repará-los. A lógica binária nos impede de compreender a interconexão entre mente e corpo, razão e emoção, natureza e cultura e assim por diante.

Quando falamos sobre não monogamia, esse tipo de divisão rapidamente aparece de muitas formas. Uma delas é justamente a crença de que teoria e prática são esferas apartadas e independentes. Na verdade, nossas ações são profundamente inspiradas pela ideologia que nos orienta. Por exemplo, no início comentei o quanto a colonização tinha e ainda tem o projeto de nos "salvar" e nos converter ao seu deus, que se entende como o único verdadeiro. É justamente por acreditarem nisso como teoria que há o costume da conversão por muitos de seus fiéis. Da mesma forma, nossas cosmogonias indígenas não nos ensinam que apenas nossa perspectiva, nosso deus, nossa cultura é que são válidos, por isso nunca tivemos o projeto de ir convertendo o planeta. Assim, o exercício de transformar nossas formas de pensar o mundo é também parte da própria prática.

Um exemplo de binarismo a ser desconstruído é o que separa mente e corpo. Ao contrário do que a tradição colonial prega, não pensamos apenas com a cabeça nem sentimos só com o coração. Descolonizar o pensamento não deve ser um processo mental, mas interconectado com todas as nossas dimensões.

Para ilustrar essa questão, vamos refletir sobre o processo da "intuição", palavra que, em sua etimologia, significa algo como olhar para dentro, encontrar respostas em si mesmo. Em algumas interpretações, essa ideia de que a verdadeira saída para todos os dilemas está dentro de cada pessoa pode ocultar uma sutil culpabilização, como se dissessem que a resposta existe e você não a encontrou porque não procurou direito. Mas não há resposta certa quando a pergunta está errada. Por exemplo: o binarismo dentro e fora é uma ilusão; o que existem são inter-relações, conexões, envolvimentos. O corpo não tem paredes, é poroso ao vento, à água, ao sol. É na relação com os demais seres que nos fazemos no mundo.

O sensor de nossa intuição também pode estar desafinado pela colonização, e nisso não se trata de observar se o que se imaginava se confirmou ou não na realidade, mas sim de questionar: para quais fins essa sabedoria deve ser direcionada?

Utilizar a intuição para investigar e aferir o que outra pessoa fez/faz de sua própria afetividade/sexualidade talvez seja o menos saudável dos usos. Quando questionamos as monoculturas, é comum nos sentirmos em perigo, mas não estamos; o risco real está em permanecer nelas. Às vezes, nosso alarme de incêndio dispara sem fogo e o alarme de inundação anuncia uma seca. Aí alguém pode dizer: "então não podemos confiar nem em nós mesmos?".

E é nesse ponto que cabe uma reflexão sobre o que entendemos como confiança. Confiar não precisa ser sinônimo de certeza, de evitar decepções ou de resistir a mudanças. É comum nosso corpo se preparar para nos proteger de falsos perigos e não nos alertar para as ameaças reais que podem atentar contra nossas vidas.

Não estamos em perigo se quem amamos beija outras pessoas.
Não estamos em perigo quando a beleza e o encanto
    do mundo fazem os olhos brilharem.
Perigo mesmo é acreditar que a vida não
    deve admitir a concomitância.
Perigo é achar que o desejo do outro deve determinar
    todo e qualquer valor que temos no mundo.
Celebrar nossas paixões é tão legítimo quanto
    nadar no rio: a mesma natureza que nos deu
    a vida nos presenteou com a liberdade.
Por isso, o primeiro território que descolonizo é a minha pele.

Perigo é também esquecer do que realmente importa, pois "há beleza bastante em estar aqui e não noutra parte qualquer", como diz Alberto Caeiro.

Falando em esquecimento, a memória tem dobras de idas e vindas. Como ensina o parente Daniel Munduruku, a água parada apodrece, e, assim como ela, as emoções estagnadas também nos apodrecem por dentro. É importante que tenhamos memória das pessoas, coisas e situações, mas também é importante o esquecimento. Deixar ir, deixar que a água siga seu fluxo, seu caminho de eterna mudança.

Por vezes, quando nos deixamos levar pelo ressentimento, tentamos segurar a água, mesmo que saibamos dos prejuízos de uma água parada, quase como um apego à virulência. E, quando nosso corpo se encaminha para esquecer e seguir em frente, parece que fazemos questão de impedir esse movimento, tentando relembrá-lo para refazer o sentido daquele apego. Mas é importante lembrar que o esquecimento pode ser muito reparador e saudável, pois não é tirando eternamente a casquinha da ferida que vamos nos proteger de novas dores. Que a memória seja da força e do fluxo sempre.

Houve tempos (recentes) em que o luto cristão, especialmente o das mulheres, tinha um tempo rígido e contado. Se a mulher o interrompesse antes do prazo estipulado, era como se estivesse desrespeitando o falecido, sendo desonesta. Hoje em dia se moraliza quem inicia uma nova relação após um término recente, como se fosse uma traição. O tempo em que alguém inicia ou continua novos namoros não diz, em si, absolutamente nada sobre a ética da pessoa. Nós podemos ter, ao mesmo tempo, sentimentos diferentes, por diferentes pessoas. O tempo de luto emocional, de términos e afins não deve ser acelerado nem prolongado artificialmente por ninguém, nem por nós mesmas.

Acolhendo a singularidade

Esse acolhimento da singularidade de cada pessoa é imprescindível na artesania dos afetos. Vemos que, na monogamia, a ideia de reciprocidade muitas vezes é pensada como simetria em tudo que é combinado e desejado. Nesses combinados, as pessoas são incentivadas a lidar com os mesmos limites, mas talvez essa não seja a melhor maneira de nos acolhermos, pois, embora haja ali uma roupagem de igualdade, acaba se criando uma régua que homogeneíza pessoas diferentes, com histórias e trajetórias distintas, além de posições raciais e classe desiguais.

Toma-se o recíproco e o mútuo como critérios de saúde relacional, com expectativa de que os sentimentos ocorram na mesma exata medida. Até no sexo, por vezes, se espera que todas as práticas sejam realizadas pelas duas pessoas, como se ambas gostassem necessariamente de fazer as mesmas coisas. Esse ímpeto é perigoso inclusive para o direito ao consentimento, uma vez que, em alguns casos, o "direito à reciprocidade" se torna uma forma de constranger e coagir a outra pessoa para que faça o que não deseja.

Nas demonstrações de afetividade e cuidado, só pelo fato de a outra pessoa não utilizar a mesma expressão, com frequência já se cria uma hierarquia de quem ama mais. Podemos questionar: se alguém faz versos mas não dança, ama menos? Se canta mas não pinta? Atentar para o modo como somos amados numa relação é fundamental, mas ser amado de maneira saudável não significa ser amado do mesmo jeito que amamos. Usar a mesma medida para pessoas diferentes é um caminho que ora termina no desencanto, ora na homogeneização.

Inclusive, usar uma medida, palavra ou acordo imutáveis é uma violência até contra nós mesmos, pois, no melhor dos casos, também nos transformamos no caminho. Para que se tornem "uma só carne", ambas (em que pese as hierarquias das opressões) vão se podando, até um ponto em que se tornam iguais, com os mesmos gostos na comida, na música, nos passeios, na companhia. Isso não deveria ser visto como um final feliz.

Para além de acreditar que relações saudáveis são apenas aquelas compostas de pessoas "iguais", podemos celebrar as diferenças que nos constituem como a parte mais bonita dos vínculos amorosos.

Não monogamia e saúde mental

Uma das violências do sistema de monoculturas é a tentativa de impor um mesmo modelo ao planeta inteiro. Não tem como ser saudável algo que se propõe como universal, pois a homogeneização não leva em conta as singularidades e especificidades. Então, quando falamos sobre não monogamia, é importante atentarmos para não recairmos no mesmo equívoco.

Penso a não monogamia não como um modelo alternativo que se contrapõe à monogamia, mas sim como um não modelo. Não há receita pronta que funcione para todas as pessoas do mundo. Por isso utilizo a noção de artesania dos afetos para chamar a atenção para essa construção, que é sempre irrepetível em cada trajetória.

Um dos grupos mais afetados por essas monoculturas é o das pessoas neuroatípicas,[3] cujas condições e especificidades vão justamente no sentido contrário ao da resposta única e normativa de existência. Neste tópico, vou abordar alguns aspectos desse debate.

---

[3] Este é um termo provisório e não há um consenso acerca da terminologia que seria mais adequada para essas descrições. Por ora, faço uma ressalva quanto ao prefixo "neuro", que por vezes pode reduzir a complexidade de outros fatores psicossociais, bem como à ideia de tipicidade e não tipicidade. Diante disso, é fundamental que haja uma escuta do próprio sujeito acerca dos seus termos.

Até hoje temos discursos que pregam que sofrimento psicossocial é "falta de deus" ou "falta de amor". Essa explicação reifica uma série de problemáticas que retiram do campo da responsabilização coletiva e social a construção de melhores condições de vida para todos, especialmente para as pessoas com deficiência e/ou neuroatípicas.

Quando se diz que "amor cura depressão", vemos um cruzamento entre a idealização e a sobrecarga das relações românticas. Isso cria a expectativa de que o amor pode "salvar" as pessoas de suas condições, novamente um ideal que fortalece discursos capacitistas. Por essa linha, muitas pessoas evitam finalizar relações por pena ou compaixão por quem acreditam que não viverá sem elas. Há nisso um misto que pode envolver sentimentos elevados de autoimportância com culpa e vergonha. Por outro lado, sentir que alguém está conosco por pena pode, isso sim, fragilizar a autoestima.

Muita gente diz: "Não vou terminar porque amo essa pessoa", mas o término/finalização/transformação de uma relação pode ser um gesto de amor. Uma das grandes dificuldades que há no fechamento de ciclos e na despedida de relações é a narrativa de que, se ainda amamos aquela pessoa, então devemos permanecer com ela. Parece haver um pano de fundo orientando que a única forma justa de encerrar um vínculo é quando não há mais nenhum amor ali. Isso abre margem para que relações abusivas se fortaleçam e persistam, uma vez que esse amor romântico se torna um combustível para continuar perdoando e insistindo a qualquer preço.

Ficar relembrando como as coisas eram (ou como gostaríamos que fossem) por vezes é uma maneira de evitar enfrentar a realidade atual do relacionamento. O bom passado (real ou imaginado) não deve ser usado como moeda de chantagem para as violências ou desencontros do presente.

Nos mais diversos tipos de relações, das familiares às afetivo-sexuais, permanece esse mito de que "se há amor, deve-se ficar", mas talvez nos caiba cogitar que é possível amar e ir embora. Afinal, se o único critério for esperar que o amor acabe, quem sabe quando isso vai acontecer? O que vivemos com alguém permanece conosco; podemos seguir nossos caminhos levando parte dessa bagagem, mas sem nos intimidar com o fantasma de que todo amor e todo desejo devem ser mantidos a qualquer custo.

O amor incondicional sugere: se me ama, fique, obedeça e permaneça, não importa o que aconteça. Já os amores potáveis são condicionais, precisam que haja um mínimo de condição para que se respire. Quando nos movimentamos, nossos sentimentos se movimentam conosco e as ideias fixas se tornam fluidas. À espera de que só podemos finalizar ou transformar vínculos quando o amor pelo outro acabar, por vezes são o afeto e respeito por nós mesmas/os/es que se esvaem.

Retornando à questão da saúde mental, é importante assinalar que o "término" de um certo modo de relação não precisa significar, necessariamente, o rompimento de qualquer tipo de vínculo. Às vezes, as transformações abrem espaço para que encontremos meios mais confortáveis e saudáveis de construir o laço, mas é importante conceber que, em algumas situações, o afastamento é, sim, o caminho mais saudável, cabendo, portanto, a avaliação da especificidade de cada situação.

A violência em relações abusivas com frequência é ilustrada apenas pela agressão físico-psicológica ao outro, mas a autopunição também pode fazer parte das chantagens e abusos. "Se me ama, não me faça sofrer" pode vir desde o lugar de poder das famílias contrárias a pessoas sexo-gênero dissidentes até das demandas da monogamia. As punições ao direito de si nem sempre são diretas; muitas vezes a forma mais eficaz de chantagear alguém é demonstrar um sofrimento intenso quando essa pessoa desobedece ao cerceamento. Nem sempre o flagelo de si é feito de forma consciente para cercear o outro: na maioria dos casos está num registro muito mais inconsciente mesmo, mas nem por isso seus efeitos são menores na realidade. Quanto menos as demonstrações de sofrimento dissuadem o comportamento alheio, maiores se tornam suas doses, chegando em alguns casos a níveis extremos, em que há risco à própria vida.

Quando estamos em sofrimento, fica difícil nos vermos em outra posição que não a de vítima, mas precisamos nos lembrar de que nem todo sofrimento parte de algo ético. Também podemos sofrer quando nossa posse e controle falham ou quando desobedecem a cerceamentos. Frequentemente a única saída vislumbrada para que o sofrimento cesse é aquela em que a pessoa amada cede às exigências de quem sofre, mas isso num geral só adia a próxima crise, agravando a dependência abusiva. A autopunição e a culpa podem ser extremamente perigosas não só para quem as vivencia diretamente, mas também para aqueles/as nela envolvidos/as/es de alguma forma. É falaciosa a ameaça de que a vida não será possível sem aquele vínculo não saudável.

Para além disso, é preciso coragem para entender que, se não formos à raiz desses ciclos, eles provavelmente poderão se repetir em futuras relações. Mas, assim como um trauma se fortalece na repetição, quando reflorestamos nossos vínculos isso também pode reescrever novas alegrias, novos sonhos e novos mundos.

Não, não é que controlo sua liberdade afetivo-sexual.
É que bem aquela pessoa não podia.
Nem aquela uma, nem aquela outra.
Nenhuma que você queria podia.

Não, não é que controlo sua autonomia.
É que naquele dia não podia.
Nem naquela segunda, terça, quarta,
    quinta, sexta ou final de semana.
Você escolhe sempre o tempo errado
(Quer o seu e não o meu).

Justo quando eu estava bem?
Bem quando eu estava mal?
É sempre o tempo errado, a pessoa errada, o
    lugar e a hora indevida.
Mas não, nada disso tem a ver com
    ciúme, você que mistura tudo.

Olha como você me faz sofrer quando me desobedece.
Olha que pessoa má você se tornou por não me deixar
    tomar decisões sobre o seu próprio corpo.
Agora peça desculpas pelo meu próprio
    erro e cerceamento contra você.
De preferência chore bastante e se sinta muito mal para
    que eu me sinta melhor, por não sofrer sozinho.

Te amo tanto, menos quando você existe para além de mim.

Rejeição, outras nuances

Essa situação de "términos" por vezes evoca também outro debate bastante importante, que é o relativo à rejeição. Em sua etimologia, rejeição tem a ver com empurrar de volta ou manter a distância, repelir. No contexto das relações amorosas, a expressão nomeia um processo complexo e frequentemente dolorido. A maneira como lidamos com essa frustração tem um atravessamento de raça, gênero, sexualidade e outras intersecções. Homens cis-hétero brancos, por exemplo, vivem uma escassez de ferramentas para lidar com aquilo que foge ao que esperavam, sendo ensinados a reagir e a responder sobretudo a partir da violência. Muitos feminicídios são praticados em nome de não aceitar o fim da relação, como já discutido.

Já em grupos não hegemônicos, é comum haver uma internalização da culpa, por meio de sentimentos de autodepreciação em que a pessoa rejeitada cogita: "O que eu tenho de errado, feio, estranho para que essa pessoa não me queira? O que fiz de errado para não mais ser desejada e amada?". Nesse raciocínio, o pano de fundo que fica é que a rejeição não teria acontecido caso a própria pessoa fosse suficientemente bonita, interessante, inteligente, entre outras qualidades. Embora se apresente como sinal de baixa autoestima, essa lógica também pode revelar uma grande centralização narcísica no desejo do outro que não considera que a outra pessoa pode não nos amar ainda que sejamos consideradas pessoas bonitas, inteligentes e interessantes.

As pessoas também podem dizer não a coisas positivas. Presumir que o único motivo pelo qual alguém não nos deseja é porque algo em nós faltou nos impede de reconhecer que as pessoas nem sempre recusam algo negativo. Também temos o direito de recusar, de não amar, de não querer algo mesmo que seja bonito, bom. O debate do consentimento também deve ser retomado aqui.

Um dos reflexos da misoginia e de outras opressões é justamente a tentativa de retirada da nossa possibilidade de formularmos nossas questões em primeira pessoa, com voz ativa. É como se o único lugar possível fosse o de pensar a si na voz passiva, na qual o outro é sempre o sujeito, as conjecturas sendo sempre sobre o que ele quer ou não, gosta ou não – sem que se abra espaço para nos perguntarmos o que nós queremos, o que nós desejamos ou não.

A palavra *rejeição* já traz um atributo moral que coloca a pessoa rejeitada na posição de vítima, e muitas vezes é quem rejeita que é punido e agredido de muitas formas. Torno a lembrar das violências feminicidas, em que o machismo e a monogamia contribuem frequentemente para o discurso de que a mulher que não quer mais ser esposa não é "pessoa direita", é a vilã que faz o homem de bem, trabalhador, sofrer. Sabemos, no entanto, que a vida que costuma estar em risco nos "términos" de relações cis-hétero é a das mulheres.

Agora, se uma rejeição se deu por motivo racista, misógino, transfóbico, gordofóbico, aí mesmo é que é importante não nos individualizarmos, nem acharmos que a culpa é nossa. Racismo, misoginia, gordofobia, capacitismo, nada disso está ligado à "real" beleza, ao valor e à importância das pessoas marginalizadas pelas opressões. Opressões têm a ver com poder e hegemonia, não com o mérito de beleza, inteligência ou qualquer outro atributo.

Nosso valor no mundo não deveria estar consignado ao olhar do amor romântico. Talvez, em vez de falarmos em rejeição, possamos pensar em quais caminhos éticos podemos construir para que nossos afastamentos sejam dignos, respeitosos e gentis com a história vivida, conosco mesmos e com quem amamos.

Por isso que, quando falamos de saúde mental, é importante ter essas nuances em perspectiva, pois muitas vezes há uma infantilização, especialmente em relação às pessoas neurodivergentes, que coloca os termos desse debate em extremos, nos quais as pessoas são vistas ora como anjos ingênuos, ora como demônios maquiavélicos. As duas posições são problemáticas, pois, enquanto uma desresponsabiliza completamente, a outra responsabiliza de maneira injusta – e ambas desumanizam.

Nesse sentido, tanto atribuir completa ingenuidade quanto uma total chantagem ou manipulação incorrem no mesmo equívoco, um processo violento para qualquer pessoa, mas que é especialmente invasivo em algumas condições. É importante não subestimar a agência das pessoas, inclusive a das neurodivergentes e/ou com deficiência, em processos que lhes dizem respeito. É o que nos ensina a luta antimanicomial.

Não é o amor romântico que vai "salvar" a saúde mental; pelo contrário, é justamente o reconhecimento de que toda saúde é coletiva. Precisamos de uma rede de apoio ampla, junto do direito ao acesso a serviços públicos de promoção de saúde, para construir formas de existência mais confortáveis às nossas condições. Por isso reforço que a não monogamia precisa sempre se aliar às demais lutas de emancipação, seja a luta antirracista, anticapitalista, antimanicomial etc.

Muito poderíamos discorrer sobre saúde mental, mas vou direcionar a ênfase à ansiedade, por sua estreita relação com o tempo e sua aceleração.

A ansiedade clínica é um dos fenômenos que mais crescem no planeta, fruto do ritmo capitalista e colonial que produz modos de vida ansiogênicos. Essa angústia, quando combinada com o amor romântico, tende a ser especialmente nociva. Se na ansiedade há um gasto de energia imenso em tentar antecipar o que vai acontecer, como, quando e onde, no amor romântico esses anseios tomam formas por vezes extremamente dolorosas.

Nesse tipo de ansiedade, não se trata apenas de ansiar pelo que virá a seguir como um simples exercício de abstração; há uma marca catastrófica que cria um destino já predeterminado no qual o que se visualiza é sempre o pior dos cenários.

No fim das contas, sabemos que não temos como controlar, de fato, um tempo ainda não vivido. É muito difícil acolher essa sazonalidade dos sentimentos, da vida, quando são os ponteiros do tempo colonial que ditam os caminhos. Nesse tempo normativo, há causa e efeito, há predestinação, há linearidade, há ordem e progresso. Nessa temporalidade não cabem as idas e vindas, os passos que damos não são em frente ou atrás, mas em círculos.

O amor romântico nos ensina que, se alguém disse que ama, deverá amar para sempre e que basta seguir o roteiro que tudo terá um final feliz. Ensina ainda que a palavra é uma camisa de força e que sentir diferente do que se pensava é traição, engano, falta de responsabilidade. Enquanto o ponto de partida forem promessas sobre o impossível e o eterno (o amanhã que ainda não se viveu), teremos a receita para a decepção, porque a vida nunca segue em linha reta.

Os desvios não deveriam ser considerados fracasso ou erro, mas o próprio fundamento da existência. Buscar construir cuidado, afeto, amparo de outras formas que não sejam orientadas por esse determinismo temporal, além de ser um recurso para reduzir danos, é, sobretudo, um modo de acolher e promover a saúde mental-física.

Quando falamos de ansiedade, falamos também de certa antecipação. Frantz Fanon, em *Os condenados da terra*, diz que "o colonizado está sempre atento porque, decifrando com dificuldade os múltiplos sinais do mundo colonial, jamais sabe se passou ou não do limite".[4] Esse estado de alerta também aparece no campo das relações amorosas. Para Fanon, não podemos individualizar o impacto da colonização; é preciso um olhar para a sociogenia dos sintomas.[5]

A sensação de estar em perigo deixa de ser um delírio para se tornar um fato. Estamos em perigo de sofrer violência da polícia, igreja, família, no trabalho, na saúde, em casa e na rua. Por isso pessoas não brancas podem ter mais dificuldade de confiar e relaxar, inclusive no âmbito subjetivo. Mesmo quando as coisas parecem estar minimamente bem, ainda assim desconfiamos: será uma armadilha? Uma brincadeira?

A violência colonial nos faz muitas vezes erguer barreiras de proteção, e uma delas é a de tentar prever, antecipar e se preparar para o que vem. E em geral é um preparo para o que vem de violência, decepção, angústia. Se esse preparo pode até ser útil para nossa sobrevivência em outras áreas da vida, no campo dos sentimentos muito provavelmente não nos imunizará.

É inútil tentar prever e controlar os riscos dos sentimentos de um amanhã que ainda nem chegou.

---

[4] Fanon (1961, p. 39-40).
[5] Faustino (2015).

Na verdade, essa preparação costuma ser apenas um gasto de energia, um boleto pago antes do vencimento que não abona a conta futura. Só nos deixa mais cansados e exaustos quando (e se) nossos medos se concretizam. E é também por essas feridas que muitas/os de nós acreditamos que a monogamia será um lugar de descanso e confiança. E, mesmo que historicamente ela deixe um lastro de violência, seguem associando a elas coisas boas, apostando que dessa vez, na nossa vez, vai dar certo.

A promessa de exclusividade não garante cuidado, afeto e, paradoxalmente, nem a própria exclusividade. A não monogamia nos faz perceber que confiança e lealdade não serão acessadas pela promessa de exclusividade. É preciso que reconheçamos que o trauma colonial existe, mas lembrando sempre que ele não nos resume, não é tudo que somos.

Finalizo esta parte com um poema sobre interdependência:

Quando foi que nos ensinaram que quem
    é forte não precisa de ajuda?
Uma árvore é forte porque precisa da água.
Um rio é forte porque precisa da chuva.
Uma planta que só consegue florescer
    quando recebe a energia do sol
Não é menos forte por isso,
pelo contrário, nossa força está na nossa interdependência.

Para me sentir banhada pelo rio, não preciso
    que me banhe exclusivamente.
Nele vivem milhões de seres, sou só mais uma.
E ser mais uma é imenso.
Ficaria o sol triste se eu dissesse que
    também preciso da água?
E se sentiria menos brilhoso e deslumbrante?
O vento se sentiria trocado e humilhado se
    eu também precisasse do orvalho?
Toda competição é uma derrota porque
    parte do ponto errado,
O mundo não gira em torno de nós.
Quando acontece do sol atingir onde estou, me alegro,
mas não posso combinar que ele atinja apenas a mim.
Lembrar disso me deixou mais desamparada no começo,
mas depois me fez nadar.
Diferente da monogamia, que esgota
    a terra, o tempo e a graça,
somos fortes quando nossa nutrição é
    promíscua, colorida e vibrante.

Se não nos guiamos pela moral monogâmica, que ética não monogâmica podemos imaginar?

Essa é uma questão bastante relevante para mim. Muitas vezes, quando recusamos as grandes respostas prontas, logo nos dizem que, se não nos guiamos por elas, então não temos orientação nenhuma, que é tudo um grande caos, um oba-oba, uma brincadeira. Confesso que, com relação a essas duas últimas palavras, eu até gostaria que a realidade fosse assim, só de levezas, diversões, um grande oba-oba. Mas infelizmente não é. Nossas experimentações como pessoas não monogâmicas não torna a vida sem problemas, sem questões, sem dificuldades. Pelo contrário, outras situações que nem imaginávamos vão aparecendo.

Penso que o que muda é justamente a nossa perspectiva sobre todas as coisas, e, com essa mudança, repensamos também nossos próprios valores. Questionamos se realmente queremos nos basear nos valores que nos ensinaram ou se há outros que fazem mais sentido para nós, mesmo que durante esse percurso nos deparemos com nossas incoerências.

A gente gosta de acreditar que amor é querer bem, que é ficar contente quando vê a outra pessoa feliz.

Isso acaba sendo um autoelogio de quão boas e generosas pessoas seríamos quando amamos alguém. No entanto, na vida cotidiana, não é tão simples assim; a fragilidade dessas premissas facilmente se mostra, especialmente quando elas envolvem o amor romântico. Aí é interessante nos perguntarmos: queremos que a pessoa seja alegre ou que só seja feliz se for conosco?

Na indústria cultural, é frequente que o amor e a paixão sejam ilustrados como sentimentos que nos trazem ótimas sensações, o quanto nos deixam com mais energia, intensidade e cor. O final feliz é posto quando há correspondência de expectativas monogâmicas; no entanto, quando há qualquer tipo de desobediência a ela, o que vemos é bastante ilustrativo. No caminho de descolonização dos nossos vínculos, percebemos muito nitidamente quão "feias" podem ser nossas outras faces quando a monogamia é desafiada.

Contrariar a monogamia não é um exercício fácil, pois há uma força contrária estrutural imensa. Quando, numa relação, uma pessoa sinaliza seu desejo de estar com outras pessoas, de não querer estar sempre e necessariamente com a mesma companhia, quando de alguma forma evidencia que a expectativa de completude falhou, rapidamente é considerada vilã. De pessoa idealizada, exaltada, celebrada por suas tantas virtudes e qualidades (reais ou imaginadas), passa a ser alguém sobre quem se projeta toda a sorte de ofensas, deméritos e desqualificações. Todo o recente amor, carinho e admiração parecem sumir. Tentar diminuir a existência de alguém é o caminho mais curto para justificar todo o ódio e raiva que contra essa pessoa crescem.

Talvez um dos maiores desafios que enfrentamos seja exercitar o amor, por nós mesmas/os e pelas outras pessoas, justamente quando há desvio na linha reta das monoculturas. Lembremos que a pessoa que vemos nas crises de monogamia não existe senão como uma caricatura cruel, por isso desobedecer à depreciação de si e do outro é um ato corajoso de amor.

Alguns dizem que o sentimento de posse e controle vem, necessariamente, da insegurança e baixa autoestima, mas e se for (também) o contrário? E se pensarmos que alguém que acredita que todos os desejos, encantos e sonhos de outra pessoa devem circular em torno dela tem, na verdade, uma alta autoestima? Será que aquela pessoa que controla o que o outro veste, aonde vai, quando volta seria mesmo alguém com insegurança? Ou se autorizar a controlar e cercear tem mais a ver com excesso de segurança do que com sua falta?

Uma coisa é se mostrar inseguro e frágil por não se sentir amparado, cuidado e amado; outra é ter todas essas bases, mas se incomodar com a concomitância dos sentimentos. Na monogamia, a pessoa "insegura" que cerceia a afetividade ou sexualidade alheia é vista como alguém frágil, e não também como alguém que fragiliza o outro. O encaminhamento que se dá a esse tipo de "insegurança" costuma ser ainda mais garantias e promessas que visem comprovar a excepcionalidade daquele sujeito perante todos os demais.

É comum que o valor, a beleza, a inteligência e o encanto das demais pessoas sejam rebaixados para que aquele que se sente inseguro se mantenha num lugar hierarquicamente superior. E aí precisamos lembrar de cultivar outros caminhos, nos quais seja possível nos sentirmos respeitadas/os/es, amadas/os/es e cuidadas/os/es na posição de ser parte, não de ser o centro exclusivo da vida alheia. O "também" não é pouca coisa.

Talvez a maior parte das nossas dores venha dessa alta autoestima que as monoculturas nos ensinaram, e para lidar com essas angústias não precisamos de mais reforço de hierarquia, mas justamente de acolhimento à nossa pequenez. Não sendo a pessoa mais linda de todas, nem a mais inteligente, mas justamente por isso, sendo apenas uma pessoa, singular, única, irrepetível no mundo.

Se não utilizamos o critério da exclusividade para validar a qualidade de um vínculo, que outros podemos usar? Aqui lembro de um trecho de uma entrevista de Cecília Meireles, concedida ao jornalista Pedro Bloch, em 1964: "'Tenho um vício terrível', – me confessa Cecília Meireles, com ar de quem acumulou setenta pecados capitais. 'Meu vício é gostar de gente. Você acha que isso tem cura? Tenho tal amor pela criatura humana, em profundidade, que deve ser doença'".⁶

Experienciar a não monogamia não significa deixar de experienciar as sensações; pelo contrário, é um convite à sua expansão. A meu ver, é no cotidiano que o amor se faz, através dele é que aferimos a qualidade e a saúde de nossos vínculos, observando o tempero afetivo que se coloca no modo de fazer as coisas. Não está no pão, no café, na colher, na máquina de lavar, na correria para recolher a roupa antes da chuva. Está no elo, no jeito de fazer que está o remédio, como diz o parente Geraldo Arandu, citado por Sandra Benites (em relato oral).

Os laços de significados que criamos entre nós e os demais seres são o que nos sustenta no mundo, por isso não estão no pão em si, mas sobretudo no jeito que se come, com quem, quando. A artesania dos afetos não tem outro lugar que não o dia a dia. Na delicadeza tanto mais rara quanto mais preciosa do correr das horas, na ternura e brincadeira dos diálogos, no acalento das palavras solidárias, na escuta. No gesto, no elo, no vínculo.

Construir pequenos ritos, desde que não se faça por nenhum tipo de compulsoriedade, é um antídoto contra a massa amorfa e cinza cujo legado é o plástico, herança e lembrete da falta de artesania na vida. Como dizia o professor Roberto

---

6 "Grandes entrevistas" (2007).

Machado,[7] você não precisa encontrar milhões de éticas; tenha uma, contanto que seja mesmo sua. Em vez de a demonstração de amor se expressar na promessa de sua exclusividade, que sua expressão mais concreta e nítida seja no cotidiano. Pela qualidade do tom, aroma e som dos dias é que atestamos a qualidade do amor que vivemos. Que isso nos seja mais real do que todos os medos imaginados.

Nessa ética que buscamos construir, identificar o que não gostaríamos de incentivar e de alimentar é tão importante quanto compreender aquilo que gostaríamos de cultivar. Aliás, é parte do mesmo processo. A identificação daquilo que não gostaríamos de perpetuar não deve ser simplesmente uma inversão dos valores da monogamia, pois essa inversão ainda centralizaria a monogamia. É preciso avaliarmos com zelo o motivo de nossas recusas para entendermos o motivo daquilo que afirmamos.

A seguir, vou refletir sobre o critério do sofrimento e seus efeitos, buscando repensar até onde o sofrer nos auxilia ou não a qualificar a saúde de um vínculo. Em um segundo momento, vou compartilhar pistas sobre o acolhimento das inseguranças a partir de uma perspectiva não monogâmica.

---

[7] Machado (2021).

Sofrimento

"Se estou sofrendo, estou certo" ou "se me amasse, não me faria sofrer" são falas comuns no contexto das relações interpessoais. Esse tipo de equação simplifica questões muito complexas. A origem do nosso sofrimento é polissêmica, pode ser resultante de uma violência, mas também pode advir de uma expectativa frustrada, de uma chantagem malsucedida. Por exemplo: um misógino pode genuinamente sofrer se sua companheira desobedecer ao "combinado" de não usar roupa curta, mas isso não o isenta do machismo.

Não nos cabe questionar quão verdadeiras são as emoções de outra pessoa, mas isso não significa assumir que todo sofrimento tem uma base ética. Em muitos casos, a expressão da angústia, do sofrimento ou da tristeza pode fazer parte de uma tentativa de dissuadir, punir ou constranger a autonomia de quem amamos. Certamente na maioria dos casos nada disso é feito de forma consciente e não nos cabe, repito, moralizar essas expressões.

Não duvidarmos da concretude de um desconforto não significa, como mencionado, concordar com sua demanda. Sentir um desconforto não deveria significar uma autorização moral para ações violentas de punição. No sistema jurídico brasileiro normativo, por muito tempo vigorou (e ainda persiste) um pacto que aliança o machismo com a monogamia, em que os chamados crimes de honra, classificados por muitos como passionais e cometidos em meio a "fortes emoções", deveriam atenuar a responsabilização dos autores de violência.

É nesse sentido que usar emoções, isoladamente, como critério ético-político é extremamente problemático.[8] Muitas vezes misturamos nessa questão processos distintos: se estou sentindo desconforto com isso é porque estou certa, e essa situação deve mudar para que eu deixe de sentir isso (ciúme, por exemplo).

A questão é que no amor romântico há uma distorção moral do sofrimento, em que muitas vezes atribuímos o fim do nosso desconforto à mera mudança de postura de quem supostamente o provocou, sem questionar a raiz dessa demanda. Esse tipo de mudança, no máximo, só conseguirá adiar nossos desconfortos, uma vez que é na relação que esses sentimentos se desenvolvem, é nela que devem ser repensados e de maneira coletiva.

Devemos levar, sim, o sofrimento em consideração – o nosso, o dos demais. A questão é como elaborar isso. E aí entra uma pergunta: como saber se meu sofrimento deriva de uma violência ou de uma frustração minha?

Não tenho resposta pronta, mas penso que algumas perguntas podem ser úteis: minha reivindicação visa aumentar minha autonomia e a das pessoas com

---

[8] Para aprofundar o debate, indico o livro *La política cultural de las emociones*, de Sarah Ahmed (2015).

quem me relaciono? É realmente falta de responsabilidade afetiva? Ou uso esse termo para qualquer ação alheia que não tenha sido praticada do meu jeito, no meu tempo e a meu modo? Se a ação de alguém fere nosso consentimento (e consentimento só podemos dar em relação à nossa própria sexualidade/afetividade), então é um gesto abusivo. Se explora nosso trabalho, também.

Agora, se nosso incômodo é com o modo como terceiros exercem a sexualidade entre si (com consenso entre eles), então há chances de que nosso desconforto tenha outras raízes, muitas das quais podem ser pautadas nos ensinamentos que a monocultura dos afetos nos pregou. Precisamos desaprender essa ideia de que abdicar de sua própria sexualidade/afetividade é a melhor forma de demonstrar afeto por um terceiro. Existem infinitas formas de demonstrar cuidado, afeto, carinho, generosidade, gentileza. Que tenhamos criatividade para construí-las.

Como dito, o sofrimento pode ser, sim, efeito de uma violência, mas também derivar de outros contextos, por isso tomá-lo como unívoco não me parece um bom critério.

Um exemplo de situação na qual podemos sentir sofrimento é quando nos frustramos.

Em algumas perspectivas psicanalíticas, frustração corresponde a um momento em que acreditamos que nossa falta existencial pode ser completamente preenchida pelo outro e que, se isso não acontece, é porque ele ou ela propositadamente não quer nos dar aquilo que de fato teria. Outro estágio disso é a crença de que, se esse outro não nos dá aquilo de que precisamos, é porque o está destinando a uma terceira pessoa, essa que seria a culpada de roubar aquilo que seria nosso por direito. Nesse momento são comuns movimentos de comparação: o que ele tem que eu não tenho? Por que com ela você sempre vai, quer, deseja e comigo não?

Especialmente na paixão, é comum que essa fantasia de completude esteja ainda mais intensa, mas é fundamental lembrar que ela também é apenas um estágio. Na melhor das hipóteses, vamos nos frustrar,[9] e aí sim poderemos construir laços para além da idealização.

Essas formações psicossociais historicamente foram construindo dinâmicas relacionais não saudáveis, fortalecidas pela monogamia, misoginia, racismo, transfobia. Nos chantageiam e lucram de muitas formas com nossa crença nesses sistemas, com o desejo de inclusão que nos impõem.

Em vez de acreditarmos que nosso sofrimento não existiria se o outro nos desse tudo aquilo de que precisamos ou que se não recebemos isso é por má-fé ou egoísmo, podemos fazer o exercício de lembrar que a chave, a saída desse labirinto não está nas mãos desse outro, nem nas de ninguém (nem mesmo nas nossas).

[9] Suy (2022).

Por vezes não encontramos respostas justamente porque estamos fazendo as perguntas erradas. A não monogamia pode ser um convite, sempre digo, ao autodesconhecimento, ao estranhamento das perguntas que nossas angústias nos trazem. É sobre abrir espaço para construir outras trilhas, observar por outras óticas que não as da monocultura. Não é porque não acreditamos em alma gêmea ou complementaridade que não podemos amar intensamente. Pelo contrário, é por saber que é impossível ser a completude de alguém (e que não há mérito nem culpa pessoal nisso) que se torna possível caminhar junto, de mãos dadas com as falhas, faltas, solidões e o que mais transbordar dos encontros que nos sustentam no mundo.

Assim como o sofrimento ou o desconforto são utilizados como critério para definir *a priori* a qualidade das relações, também é comum que se utilizem exemplos de relações monogâmicas em que há bons sentimentos como prova de que se trata de uma estrutura que funciona bem e que, portanto, não deve ser generalizada. Além de individualizar algo que é uma imposição histórica, jurídica, religiosa, esse argumento confunde efeito com causa.

A fórmula geral da moral cristã é "faça isto e mais isto, não faça aquilo – e então será feliz, do contrário...". Essa receita, contudo, não garante o que promete. Seguir o roteiro da monogamia não garante a permanência do amor, do desejo, da confiança, do compromisso. Se comprovadamente a monogamia não dá garantias do que promete, podemos dizer que creditar à monogamia sentimentos bonitos é atribuir a eles uma causa imaginária.

E a não monogamia, garante essas permanências? Não, nem pretende. Não se presume que amor só é verdadeiro quando é exclusivo. O critério não é o tempo da eternidade, mas a espontaneidade do movimento. Não há uma causa que tenha como efeito direto a alegria, a sensibilidade, a empatia. Relações são feitas de cultivo, cuidado, escuta. Colocar a causa da saúde de uma relação num pressuposto moral, que antecede a própria vida, é um argumento dogmático.

Há milhares de relações não monogâmicas em que há ternura, paixão, carinho, afeto, mas a ideologia monogâmica tenta pregar o contrário: que só seria verdadeiro e válido com a (promessa de) exclusividade sexual. Também por isso a visibilidade da alegria é tão fundamental: ela desmente a profecia de que para ter alegria, amor, ternura é preciso ser monogâmico; ela desmonta a chantagem e barganha do "Quer isso? Então faça isso".

Em vez de atribuir à monogamia a causa da alegria, cuidado e encanto, é possível afirmar, inclusive, o contrário – que foi apesar da monogamia que esses sentimentos emergiram ali. Também a não monogamia não é a causa dos sentimentos bonitos e alegres que há no mundo; precisamos abrir mão de tentar sempre colocar um criacionismo nos afetos.

Neste tópico discutimos o fato de que o sofrimento, isoladamente, não pode ser um argumento fechado para coagir e controlar, mas eu gostaria de encerrar lembrando que, para além da origem do nosso desconforto, ele deve ser acolhido. Em outras palavras, por vezes até conscientemente sabemos que nosso desconforto é derivado de tentativas de coação da autonomia afetivo-sexual alheia, mas ainda assim sofremos e sentimos. É nessas horas que é preciso lembrar que existem dores que merecem ser acolhidas e dores que não. Não pedir ajuda, não aceitar receber acolhimento por se envergonhar e se culpar das próprias ações pode ser uma forma de praticar o punitivismo, pedagogia que não nos leva a relações mais saudáveis conosco, tampouco com os demais.

Agora, novamente, é importante lembrar que receber acolhimento para o nosso sofrimento nem sempre tem a ver com mudar o comportamento do outro, mas com ter amparo e suporte para elaborarmos nossos tensionamentos. Acolhimento pode ser receber escuta, receber suporte da rede de apoio para se fortalecer, pode ser ter companhias para rir de si mesmo, para se distrair da angústia, para voltar a ela de outra forma e assim por diante.

Finalizo com um ensaio de um poema ou carta na qual tentei imaginar outros jeitos de falar sobre os diferentes sofrimentos, anseios e desejos que aparecem em algumas cenas discutidas neste tópico.

Carta a meus/nossos antigos amores
Não é porque não te amei que amo outras pessoas.
Não faltava (nem sobrava) nada em você.
Não foi por falha sua, nem por punição, nem por vingança
que meus olhos brilharam para além de ti.
Te amava, mas não todos os dias da
    mesma forma e do mesmo jeito.
Não é porque te respeitava que desrespeitaria
    minha autonomia.
Desobedecer ao seu controle e cerceamento
foi um processo que me custou muitas
    lágrimas, culpa e angústia.
Me feria o espírito cada vez que o
    exercício de minha liberdade
era punido com hostilidade, grosserias, chantagens.
A cada vez que tive que pedir desculpas e
    perdão por um pecado que não existia,
A cada vez que paguei a pena de um crime inventado.
Espero que meu corpo se recupere da ansiedade e angústia
que sentia a cada conversa que tínhamos,
em que o medo da sua reação à minha
    liberdade quase me fazia desistir,
por cansaço, dos meus desejos, encantos e paixões.
Eu sinto muito por todas as minhas
    incoerências e hipocrisias.
Falhar não me torna menos digna de lutar
    pelo que acredito; pelo contrário.

Espero que a cada dia eu me lembre
que não há nada sujo, errado ou universalmente imoral
em exercer o direito ao meu corpo,
nem em você exercer o direito a si.
Que mereço ser amada, respeitada e acolhida
independentemente da quantidade de pessoas
    com as quais eu escolha estar,
que você escolha estar.
Que meu mundo não acabou, nem
    desabou, nem meu sorriso sumiu
depois que nossos caminhos se afastaram,
    mas que hoje sorrio de outra forma,
    inclusive para você.
Espero que algum dia consiga entender que
    não foi uma mentira o que vivemos,
mas já não mais tentarei te convencer de nada.
Não sou melhor que você, nem pior.
Sou outra.

Acolhimento às inseguranças em uma perspectiva não monogâmica

Quando nos deparamos com a profundidade da colonização e das feridas emocionais que ela nos trouxe, pode surgir uma sensação de evitação protetiva. "Para não sofrer, para evitar frustrações, dores e mágoas, não vou mais me relacionar" – esse tipo de raciocínio, ainda que prometa segurança, não dá conta de produzir saúde. Destruir as paixões e desejos para evitar suas consequências potencialmente nocivas é como arrancar dentes saudáveis com receio de que um dia doam, como pontua Friedrich Nietzsche[10] em *Além do bem e do mal*.

  O cristianismo nos ensinou que há um mundo ideal (céu) onde haveria uma vida eterna que seria melhor que esta que vivemos, a real. Acreditar em uma vida futura, em uma ordem e moral superior e em qualquer tipo de transcendência só tem como efeito a desvalorização dessa vida, dessa natureza, do que se é agora. A suposta superioridade da vida futura se parasita da negação desta. Evolução, desenvolvimento, aperfeiçoamento, progresso são

---

[10] Nietzsche (1996).

todos parte da gramática cristã que se consola em não se vincular com o que se tem agora conjurando o que não existe. Aí se projeta no futuro uma promessa de melhoramento, como se aquilo que se desconhece (o amanhã) fosse mais verdadeiro e importante do que o que há agora.

Talvez por isso tantas pessoas se sintam longe do ideal, que, claro, é feito para que nos sintamos sempre incompletos, falhos, incapazes, precisando de alguém que nos salve. Na verdade, não nos falta nem sobra nada; a comparação é que produz essa desigualdade. Por não se ter o tempo transcendental (da eternidade), os sentimentos sazonais são diminuídos e desqualificados.

Alguns até dizem: nunca mais vou conviver com um gato ou cachorro, porque eles um dia vão morrer e eu vou sofrer. Não é porque algo muda, se transforma e se despede que é menos importante, mágico, encantador. Não deu errado porque acabou; deu certo porque mudou. O movimento é o DNA da vida. Evitar amar é evitar viver, e está pronto para amar e se relacionar todo ser que está vivo. Digo isso para que nos lembremos de que não existe ninguém mais "evoluído" e completamente pronta/o/e para as relações: estamos todas/os/es de alguma forma buscando o nosso possível, no tempo que temos.

O medo do abandono e do descarte faz parte da colonialidade dos afetos e é especialmente intenso em pessoas racializadas como não brancas e/ou que sofrem outras opressões. Talvez seja também por isso que a monogamia tenha se apresentado para tanta/os/es de nós como um caminho mais acolhedor, pela promessa de garantias. Uma dessas promessas monogâmicas é a de que só conseguiremos construir intimidade e profundidade dentro desse modelo. Com tantos discursos capitalistas, racistas e gordofóbicos nos bombardeando o tempo todo, fica muito difícil não se comparar com outras pessoas e não se sentir menos especial.

Autoestima, beleza e norma

Nossa autoestima como pessoas indígenas e de demais grupos vulnerabilizados é bastante fragilizada historicamente. Muitas/os/es de nós faríamos intervenções em nosso rosto ou corpo se tivéssemos acesso financeiro a elas. Ainda que intervenções cirúrgicas com fins estéticos não sejam, em si, problemáticas, quando motivadas pela norma branca, magra e cis-hétero, acabam por nos oferecer um remédio que não vai à raiz dos incômodos. Essas normas nos roubam inclusive o direito a experimentações e modificações corporais motivadas pelo prazer. "Não faça isso que é feio", dizem, no sentido de "não faça isso porque é ruim". Ser bom e bonito e ser feio e mau são correlações comuns entre essa estética e uma determinada ética. Talvez por isso, acreditamos que se fôssemos mais bonitas/os/es fisicamente não passaríamos por tantas violências, que tudo seria mais fácil. Mas racismo, gordofobia, misoginia e capacitismo não estão ligados à realidade das belezas, estão ligados ao poder. Os privilégios da branquitude, da magreza e da cis-heternorma também se relacionam a uma ilusão de superioridade.

Muitas vezes, quando nos sentimos frustradas/os/es diante de outras dimensões de nossas vidas, a sensação de que não somos bonitas/as/es também se acentua. É bem mais possível nos sentirmos bonitas/os/es quando estamos confiantes, com redes de apoio fortes, com trabalhos que nos nutrem, com relações que nos acolhem. Se a beleza salvasse da violência, nenhuma cachoeira seria exterminada, nenhuma arara seria morta, nenhum rio seria contaminado. Mas sabemos que nada disso tem a ver com beleza, e sim com poder.

A construção de autoestima deve ser, portanto, necessariamente coletiva, sem que se culpabilize individualmente alguém por não se sentir confortável consigo quando o mundo lhe tira as condições básicas para isso. Autoestima precisa de alimento, de moradia, de trabalho digno para se fortalecer, de relações potáveis. Todas as existências são bonitas se estão viçosas, se vivem plenamente a potência e o prazer de seus corpos.

Descolonizar os afetos passa muito por esse exercício de fortalecermos coletivamente nossas nutrições, por reconhecermos nossa interdependência com os demais seres, por não deixarmos que a bússola colonial defina nossa beleza e importância no mundo.

Isso nos leva para uma questão anterior: o que nos torna únicos? O que temos de especial que outras pessoas não teriam? Para além da impossibilidade de esse critério ser beleza, inteligência etc., acredito que um dos fatores que tornam uma relação única é sua gramática. Nós nos construímos nas relações que tecemos, nos vínculos que temos com outras pessoas, com os demais seres, com a terra. Cada relação é singular e irredutível, porque cada laço tem uma linguagem única. De sons, gostos, lugares, cheiros, trocadilhos, piadas internas. É dos ingredientes de cada ser, de sua cor, de sua origem, de seus medos e sonhos e de tudo o mais que compõe nossa história que se faz essa receita.

Talvez esta seja uma das partes mais dolorosas quando lidamos com experiências de término: outras pessoas não entenderão o idioma relacional se não fizeram parte de sua construção artesanal, e sentimos que uma parte de nós também se perderá. Ao mesmo tempo, essas gramáticas continuam sempre com a gente, mesmo que as pessoas que a teceram conosco já não estejam mais próximas de nosso cotidiano.

Entender a singularidade dessas gramáticas pode auxiliar a operar melhor a máquina do tempo afetiva, que se transforma e é viva. Que não permite o retorno porque aquilo que imaginávamos encontrar no passado também já mudou, mas que também nos possibilita sermos muitas/os/es em uma mesma vida. Que exercitemos a gratidão pelos múltiplos idiomas afetivos que já construímos, sem que a saudade seja uma camisa de força impeditiva do aprendizado de outras línguas.

Uma das mentiras que o capitalismo, filho da colonização, nos conta é a de que só seremos amadas/os/es, cuidadas/os/es e respeitadas/os/es se formos a melhor pessoa, a mais importante, a mais inteligente, a mais bonita etc. (com todos os critérios arbitrários que a ideia de ser melhor traz). Há todo um mercado de *coaches* vendendo receitas do que as pessoas, especialmente mulheres e pessoas sexo-gênero dissidentes, devem fazer para "segurar" a pessoa amada. Isso vem desde muito cedo, pois crescemos acreditando que é preciso buscar esse primeiro lugar em tudo para sermos amadas/os/es, mas é uma armadilha.

As/os artistas e músicas que amamos são as/os melhores do mundo? Ou são melhores para a gente? Por serem aquelas/es artistas cujo trabalho nos inspira, marca um tempo da nossa vida, guia uma época de nossa história? E a comida e roupa favorita do mundo é mesmo a mais cara? O pijama mais confortável, a comida que tem gosto de casa, de lar, de abraço, nada disso precisa ser a melhor coisa do mundo para receber carinho e afeto, para fazer sentido para nós. Por mais que os padrões da norma tentem garantir o contrário, nossas paixões, desejos e amizades em resistência nem sempre se destinarão ao predeterminado do primeiro lugar. Nós nos ligamos às pessoas pela relação que é construída, e é a receita que vem dessa combinação de ingredientes de cada ser que faz o sabor ser único e irrepetível.

As opressões buscam colocar essa previsão do que sentiremos, mas isso também falha. Até porque nenhuma hierarquia produzida pelas opressões se relaciona com uma descrição real da beleza, inteligência ou o que for. Isso tudo é questão de poder. Na busca de tentarmos ser o que achamos que o outro deseja de nós, constantemente nos perdemos, e essa perda tira o brilho no olho, soterra o encanto, esmaece a alegria.

Tentar impedir que as pessoas com quem nos relacionamos se encantem por outras não trará garantia de que continuaremos amados, pelo contrário. E, se reconhecemos que não estão em nosso controle o domínio e a previsibilidade de quando e como seremos amados, que isso sirva de inspiração para sermos pessoas carinhosas, gentis e generosas em relação a nós mesmas. Se nosso brilho afetar nossos amores, ótimo, mas, se não ocorrer da forma como esperávamos, de toda forma, seguiremos nutridas de dignidade.

Essa discussão me lembra aquela famosa frase que ouvimos nas histórias infantis, "Espelho, espelho meu, existe alguém mais bela do que eu?", enunciada pela rainha na história da Branca de Neve. Muito já se falou sobre as múltiplas nuances dessa narrativa, e aqui eu a observo a partir de uma lente não monogâmica. A sociedade dominante nos ensina que ser bonita, a mais bonita, é o topo da felicidade. Que, havendo outras pessoas mais bonitas que nós (seja lá com que critério arbitrário isso se averigua), elas deverão ser destruídas, pois são inimigas da nossa paz, da nossa alegria.

Assim como no conto de fadas, muitas mulheres de quem se tem ciúme e/ou inveja são hostilizadas e perseguidas; algumas chegam a sofrer violência físico-psicológica ou mesmo são assassinadas. Essas pessoas são consideradas ameaçadoras da segurança monogâmica, perigosas e traiçoeiras, seres dos quais se deveria afastar física e virtualmente, em defesa do quê? Ninguém rouba ninguém de ninguém. Se houve reciprocidade no desejo, isso não se deve a um roubo, "talaricagem" ou afins, mas a uma vontade das pessoas envolvidas.

Se a resposta do espelho supostamente for sim, de que de fato existe alguém mais "belo" que nós, mais inteligente, mais interessante, o que faremos com isso? Perseguiremos e hostilizaremos essas pessoas, nos ressentiremos de seu encanto? Penso que, em vez de só encontrar paz na resposta negativa do espelho, devemos elaborar e desmistificar a expectativa que colocamos no olhar desse outro romântico para termos validação no mundo. Imagine se o espelho dissesse: "De fato, tem outras pessoas mais bonitas do que você, mas a sua risada é única no mundo, sua companhia é encantadora e sua criatividade contando histórias é apaixonante".

Ao contrário do que o capitalismo tenta nos pregar, sermos bonitas/os/es (seja lá o que isso possa significar) não compra nossa felicidade, não compra vínculos densos, não impede que as pessoas possam ir embora. Nada garante nada disso *a priori*, e essa é que é a magia. É no encontro, na tecelagem artesanal dos dias e no cultivo dos afetos que as relações se constroem. Se com cada pessoa construímos uma relação, temos o presente de podermos ser várias ao longo de uma mesma vida. A beleza do mundo não precisa ser nossa inimiga. Celebremo-la.

Para encerrar esta parte, finalizo com outro poema que escrevi pensando nesses debates:

Quando você admira a beleza de alguém, é, necessariamente,
porque acha feia outra pessoa?
Quando você admira a sabedoria de
    alguém, é, necessariamente,
porque acha pouco inteligente quem ama?
Quando deseja alguém, é, necessariamente,
porque não deseja quem ama?

Nem todo brilho alheio informa nossa opacidade.
Nem todo encanto alheio comprova nosso desencanto.
Nem tudo gira em torno de nós.

Você só ficaria feliz se a chuva regasse apenas você?
Que só a você o sol trouxesse luz e calor?
Que o ar só circulasse na sua respiração?
O que queremos quando demandamos
 exclusividade na alegria e no prazer?
Que alta autoestima é essa que só encontra
 paz e serenidade na exclusividade?
Por que desejar uma primavera de uma flor só?
Um enxame de uma só abelha?

A lição dos nossos parentes rio, terra, vento, pássaros
é de que a saúde está na floresta, e não na monocultura.

Breve despedida

Apresentei algumas pistas que têm feito sentido para mim e espero que cada pessoa que me ler compreenda que tudo aqui é um convite, como disse no início. Pegue o que fizer sentido para você, costure, misture com suas próprias experimentações, crie seu próprio sentido. Essa é a graça da artesania dos afetos.

Inclusive, se por algum motivo você não conseguir ou não quiser reivindicar para si o termo *não monogamia*, mas se sentir identificado/a/e com partes desse debate, saiba que é superlegítima a sua posição. Desconfiemos de tudo aquilo que se apresente como culto, como convencimento ou doutrinação; as palavras (ou as identidades) não devem ser uma camisa de força.

Com isso, o convite deste livro foi justamente para uma abertura, para uma não fixidez, uma brecha que nos convida a não nos apressarmos tanto em preencher irrevogavelmente o predicado de quem fomos, somos e seremos.

Nós, em alguma medida, nos construímos em uma certa ilusão biográfica, como se a linha de nosso tempo fosse reta, linear. Nesse tempo normativo, aprendemos que a verdade só estaria no imutável, que ele seria o critério de quão confiável seria algo ou alguém. Talvez por isso admitir que em algum tempo fomos, sentimos e pensamos de modo diferente do que somos hoje pode acabar sendo um grande desafio. Às vezes, reconhecer que nem sempre fomos e agimos como hoje traz vergonha e culpa. Em outros momentos, apelamos para essa suposta linearidade de nossas vidas para fazermos mais sentido aos nossos interlocutores e a nós mesmas/os/es, às cobranças (justas ou não) que recebemos.

Para lidar com isso, lançamos mão de estratégias como a ilusão biográfica (conceito de Pierre Bourdieu que aqui uso em outro sentido). Nela, editamos toda a nossa vida, desde a infância ao presente, à luz do argumento que gostaríamos de fortalecer ou defender em algum contexto. Nem sempre isso é feito de modo consciente, e a intenção aqui não é moralizar esse gesto, mas compreender seus efeitos.

Quando dissemos "sempre fui assim", talvez estejamos tentando aumentar a validade de nossa demanda, em um complemento oculto que diz "se sempre fui assim, sempre serei" – recorrendo, portanto, àquela noção de verdade e confiança como características da imutabilidade. Ainda que essa possa ser uma estratégia, talvez seja importante experienciar outras temporalidades que acolham nossas incoerências e descaminhos, dizendo: nem sempre fui assim, porém agora é o que faz mais sentido para mim. Isso torna meu presente menos válido? Só posso acreditar naquilo em que sempre acreditei?

O que vivemos antes é muito menos encadeado de sentido linear do que imaginamos. Talvez acolhendo essas descontinuidades[11] consigamos exercitar um maior acolhimento das nossas próprias histórias e das do outro. Entendendo que quem desejou, sentiu e prometeu determinada coisa pode não ter mentido antes, nem estar mentindo agora em sua mudança. Não é mentira porque mudou; talvez justamente porque tenha se transformado é que seja verdadeiro. Que todas/os/es tenham direito à mudança, desde que ela seja ética, não exploratória ou expropriadora do que não lhe cabe.

Os valores coloniais da ordem, do progresso, da evolução e do desenvolvimento não orientam meu pensamento, então torno a dizer que exercitar a não monogamia não é,

[11] Conceito de Michel Foucault (2010).

para mim, um exercício de evolução ou de higienismo com nossos sentimentos. Você não precisa ter sido "sempre" não monogâmico/a para que, agora, possa se abrir a essa discussão, ainda que de maneira introdutória.

Em tantos séculos de colonização, é preciso que reconheçamos humildemente nossa pequenez. Não damos conta de tudo nem de todos, fazemos o possível, e isso já é tanto!

Permanecer onde está nem sempre é continuar na zona de conforto, já que muitas vezes o modo como as coisas estão é extremamente desconfortável para nós. Talvez seja possível pensar que o familiar e o conhecido são o conforto, e o desconhecido, o contrário. É preciso, no entanto, observar quando o peso de não fazer mudanças necessárias é maior do que aquele de se movimentar. A desconstrução de padrões e ciclos de violência nem sempre (talvez mesmo raramente) é um processo gostoso, leve e agradável; pode ser até o oposto disso. É por causa desse trabalho todo que frequentemente desistimos ou adiamos esses movimentos, o que também é legítimo.

Adiar e não mudar também é trabalho, com a diferença de que esse apenas gasta nossa energia, enquanto o outro... o outro talvez nos dê mais saúde. É uma aposta apenas, mas é algo. Como quem, já cansado, tem que fazer a mudança novamente, nos perguntamos: de novo?

Mudar nossa casa emocional pode parecer uma nova e longa viagem (e não de férias). É mais sobre a tristeza e nostalgia de perceber que aquela casa que somos talvez já não seja o melhor lugar para nós, e a lembrança de quando ela foi confortável talvez já não seja mais suficiente para a permanência nela. A incerteza quanto ao novo lugar ou momento pode vir acompanhada de um certo frenesi ou excitação pelo que se descortina. Não quer dizer que não tenhamos mais dificuldades, mas que ter saúde também é poder variar até os problemas, sem que sejam um peso linear a que estaríamos destinados por toda a vida. Que façamos nossas malas de novo, tendo a lembrança de que na bagagem da memória muito ficará para trás.

Podemos, assim, aprender com as plantas a nos movimentarmos por um "tropismo", que, simplificadamente, é algo como a força que move muitas raízes ao crescimento para baixo (gravitropismo positivo); ou como a força que chama muitos caules para cima (gravitropismo negativo). Assim como os girassóis fazem seu rastreamento solar em direção aos raios solares (heliotropismo), também podemos sentir esse ímpeto em direção ao que nos produz vida, reconhecendo que esse é um processo que precisa do movimento, da mutabilidade, de uma certa flexibilidade.

Como o girassol busca acompanhar os melhores ângulos para receber e se encontrar com os raios que o iluminam, também nós vamos nos ajustando e buscando nos aproximar daquilo que nos potencializa a vida. Quando o girassol para de fazer essa busca, esse giro, ele encerra seu ciclo de vida; nessa metáfora, todo movimento que fazemos em direção à nossa saúde, autonomia e alegria é um "tropismo". Pode ser que ele esteja, em algum momento, em determinada relação; pode ser que depois já não esteja mais ali. Identificar nossos tropismos é um meio de acolher essa sensação de quietude que nos toma, essa breve serenidade em compreendermos que estamos onde, como e com quem deveríamos estar. Nessa fagulha de tempo conseguimos estar, um pouquinho que seja, em paz conosco, mesmo que as guerras continuem.

Para os jesuítas, o nomadismo era um pecado, enquanto para nosso povo Guarani a caminhada é parte do próprio fundamento de uma vida sem os males coloniais. Na verdade, a casa está no próprio caminho. Que sejamos nômades na terra e no sentimento, nos plantando em outro lugar (e esse local pode ser outro ainda que não saiamos do lugar geográfico). Mesmo que no começo seja estranho, estaremos certas/os/es de que logo o caule vai se fortalecer, criando outras raízes.

Para nós, Guarani, o guata porã (a boa/bela caminhada) é o fundamento da vida. É por isso que descolonizar afetos, para muito além das relações sexo-afetivas, é lutar contra todos os marcos temporais e espaciais que a colonização nos impôs, marcos tais que limitam nosso movimento na Yvyrupa (o grande território), que para nós, Guarani, não tem muros nem fronteiras.

Esse nomadismo emocional envolve desobedecer às profecias e ameaças que nos fazem, e não acreditar tanto nelas como se esperaria. O que fomos não precisa ser a profecia do que seremos. Como nos ensina Ailton Krenak,[12] a "monocultura é a imposição monolítica de um mundo só", enquanto o contrário disso é a expansão de muitos mundos. Para mim, a descolonização dos afetos faz parte da afirmação e celebração da vida, mesmo quando ela nos desafia, mesmo quando nos perdemos, mesmo quando o sentido muda. Aliás, é justamente por isso tudo que estamos falando de vida, de movimento. As flores de plástico podem não mudar de gosto, de cor e de cheiro, mas não são vivas; a gente sim. A cacica Juliana Kerexu[13] nos mostra que podemos ter pequenas esperanças, que são pequenas, mas imensas como maino'i (o beija-flor), que nos abrilhanta o mundo. Obrigada por ler até aqui!

Até logo!

---

12 Krenak (2021, p. 69).

13 Para acessar o poema completo, indico a página do Instagram de Juliana Kerexu: https://www.instagram.com/p/CujrnmTuCpO/?igshid=NjIwNzIyMDk2Mg%3D%3D.

POSFÁCIO

Estar em constante crescimento e movimento, pensar sobre aquilo em que se crê, olhar o mundo com sabedoria e a reciprocidade que nos é entregue: esse é o nosso viver.

As culturas dos povos que aqui viveram, vivem e viverão têm nos guiado com essa abertura de pensamentos. Aprendemos com a história, crescemos com o conhecimento milenar, com as kyringue'i (crianças) e os xamõi (avós), que nos ensinam com seu saber sagrado, que vem das experiências que vivem. É assim que caminhamos.

O pensamento monoteísta e monogâmico por muito tempo nos fez acreditar que éramos algo a ser consertado, e os resquícios do cristianismo ainda vivem em meio a nós, infelizmente. O machismo que promove as violências contra as mulheres é uma das muitas violências geradas desde 1500.

Nossas vivências respeitam o movimento da natureza; nós o sentimos e nos guiamos por ele. Os guardiões designados por Nhanderu (nosso pai) e Nhandexy (nossa mãe) ete (verdadeiro) estão a todo momento em tudo que vemos ou sentimos. Ali estão presentes muitos dos deuses que aqui vivem, em nosso modo de vida, o Nhandereko.

Dentro do Nhandereko, os pilares são o respeito, a compaixão, o amor (mborayu). Respeitamos todos os conhecimentos, todos os saberes. A tekoa (aldeia, os jeitos de fazer acontecer em um modo coletivo) deriva de teko (jeito, personalidade); é assim que se faz acontecer, com muitos jeitos, modos e vivências que podem ser compartilhados e a partir dos quais aprendemos a viver em coletivo. Da mesma forma fazemos com o amor: pensar em relacionamentos quando há desejo mútuo, quando todos se respeitam, assim como na separação, e vice-versa.

O pensamento de amor conjugal, de ser feliz para sempre ou "só a morte os separe", é algo abstrato para mim. Sempre refleti sobre como isso atravessa o tempo e a vivência em nosso cotidiano; por isso, sempre busquei observar e questionar.

Minhas experiências e perspectivas de olhar o mundo vieram de minha vó, que me ensinou, e, mesmo com a parte árdua e dolorosa, hoje sou mais leve assim. Entendi que aquilo que doía e machucava não era meu, pois a forma de um amor único, de um relacionamento monogâmico que aprendi a buscar não era a mesma que meu povo aprendeu.

Os resquícios de um jeito só de amor, de um jeito só de cultuar um deus, isso tudo veio com os muitos navios que aqui chegaram.

Minha avó me contava dos grandes acampamentos jesuítas, nos quais meus antepassados, meus avós, foram obrigados a viver. Ali criaram os netos e as netas, mas sempre com esperança e força para, em algum momento, conseguir fugir, quando então vieram em busca do mar.

O olhar sobre um mundo de pensamentos, jeitos e modos de ser diferentes sempre existiu em nosso povo, sempre com respeito e amor.

Lutar contra todas as violências que a colonização e a catequização tentaram destruir é parte da nossa resistência, reexistência, como povos que se mantêm com esperança e força. Mesmo quando todos eram obrigados a aceitar a catequização, permaneciam em resistência com tekoas paralelas aos grandes acampamentos onde eram colocados os jesuítas, que seguiam fazendo seus rezos, curas, desbatismos.

Sempre estivemos em luta e é assim que permanece o viver do povo Guarani, o Nhandereko.

Juliana Kerexu
Liderança Mbya-Guarani,
escritora, poeta , artista e
coordenadora da Articulação dos
Povos Indígenas do Brasil (APIB),
pela Comissão Guarani Yvyrupa (CGY)

REFERÊNCIAS

AHMED, Sara. *La política cultural de las emociones.* Trad. Cecilia Olivares Mansuy. Cidade do México: Universidad Nacional Autónoma de México, 2015.

BENITES, Sandra. *Nhe'ẽ, reko porã rã: nhemboea oexakarẽ*. Fundamento da pessoa Guarani, nosso bem-estar futuro (educação tradicional): o olhar distorcido da escola. TCC (Graduação) – Curso de Licenciatura Intercultural Indígena do Sul da Mata Atlântica, Universidade Federal de Santa Catarina, Florianópolis, 2015.

BENTO, Maria Aparecida Silva; CARONE, Iray (orgs.). *Psicologia social do racismo*. 2. ed. São Paulo: Vozes, 2002.

BERTO, Carla. *Milagres constantes e inconstantes*: variações no discurso jesuítico (1610-1640). Dissertação (Mestrado em História) – Pontifícia Universidade Católica do Rio Grande do Sul, Porto Alegre, 2006.

BRASIL segue no topo dos países onde mais se mata LGBTs. *CUT Brasil*, 17 maio 2019. Disponível em: https://sp.cut.org.br/noticias/brasil-segue-no-topo-dos-paises-onde-mais-se-mata-lgbts-4d85. Acesso em: 25 jun. 2023.

CARDOSO, Ciro Flamarion; VAINFAS, Ronaldo (orgs.). *Domínios da História*: ensaios de teoria e metodologia. São Paulo: Campus, 1997.

CASAMENTO faz a mulher trabalhar 10 horas a mais por semana sem remuneração. *SEAAC*, 30 ago. 2017. Disponível em: https://www.seaaccampinas.org.br/casamento-faz-a-mulher-trabalhar-10-horas-a-mais-por-semana-sem-remuneracao/. Acesso em: 25 jun. 2023.

CHAGAS, Tiago. Malafaia diz que excluirá fiéis da ADVEC que se casarem após um divórcio antibíblico. *Gospel Mais*, 30 ago. 2021. Disponível em: https://

noticias.gospelmais.com.br/divorcio-fora-biblia-exclusao-membros-advec-148937.html. Acesso em: 25 jun. 2023.

CHAMORRO, Graciela. *Terra Madura Yvy Araguyje*: fundamento da palavra guarani. Goiânia: UFGD, 2008.

DUNKER, Christian. *Uma biografia da depressão*. São Paulo: Planeta do Brasil, 2021.

FANON, Frantz. *Os condenados da terra*. Trad. José Leurônio de Melo. Rio de Janeiro: Civilização Brasileira, 1961.

FANON, Frantz. *Pele negra, máscaras brancas*. Trad. Renato da Silveira. Salvador: Edufba, 2008.

FAUSTINO, Deivison Mendes. *"Por que Fanon? Por que agora?"*: Frantz Fanon e os fanonismos no Brasil. Dissertação (Mestrado em Sociologia) – UFSCar, São Carlos, 2015.

FELIPPE, Guilherme G. Casar sim, mas não para sempre: o matrimônio cristão e a dinâmica cultural indígena nas reduções do Paraguai. *História Unisinos*, v. 12, n. 3, p. 248-261, 2008.

FERRER, Diogo (1633). *In*: *Manuscritos da Coleção De Angelis (MCA)*. Jesuítas e Bandeirantes no Itatim (1596-1760). Introdução, notas e glossário por Jaime Cortesão. Rio de Janeiro: Biblioteca Nacional, 1952. vol. II.

FÓRUM BRASILEIRO DE SEGURANÇA PÚBLICA (FBSP). *Anuário Brasileiro de Segurança Pública 2020*. Disponível em: https://forumseguranca.org.br/wp-content/uploads/2020/10/anuario-14-2020-v1-interativo.pdf. Acesso em: 25 jun. 2023.

FOUCAULT, Michel. *A arqueologia do saber*. Trad. Luiz Felipe Baeta Neves. 7. ed. Rio de Janeiro: Forense Universitária, 2010.

FOUCAULT, Michel. *História da sexualidade*. Trad. Maria Thereza da Costa Albuquerque e J. A. Guilhon Albuquerque. Rio de Janeiro: Graal, 1988.

FREUD, Sigmund. *O Infamiliar/Das Unheimliche*. Trad. Romero Freitas, Ernani Chaves e Pedro Heliodoro Tavares. Belo Horizonte: Autêntica, 2019.

GONZALEZ, Lélia. Racismo e sexismo na cultura brasileira. *Revista Ciências Sociais Hoje*, Anpocs, p. 223-244, 1984.

GRANDES entrevistas: Cecília Meireles. Publicada originalmente na *Revista Manchete*, n. 630, 16/05/1964. *Tiro de Letra*, 2007. Disponível em: http://www.tirodeletra.com.br/entrevistas/CeciliaMeireles.htm. Acesso em: 25 jun. 2023.

hooks, bell. *Ensinando a transgredir*: a educação como prática de liberdade. Trad. Marcelo Brandão Cipolla. São Paulo: WMF Martins Fontes, 2017.

INFIDELIDADE entre casais já atinge 70% dos brasileiros. *CidadeVerde.com*, 25 fev. 2015. Disponível em: https://cidadeverde.com/noticias/186545/infidelidade-entre-casais-ja-atinge-70-dos-brasileiros. Acesso em: 25 jun. 2023.

KATZ, Jonathan. *Invenção da heterossexualidade.* Trad. Clara Fernandes. Rio de Janeiro: Ediouro, 1996.

KRENAK, Ailton; CAMPOS, Yussef. *Lugares de origem*. São Paulo: Jandaíra, 2021.

LIMA, Ana Lucia Sales de; MENEZES, Sezinando Luiz. "Que proveja isto com temor, pois nós outros não podemos por amor": a ação catequética do padre Manuel da Nóbrega nos trópicos entre 1549-1559. *Tempos Históricos*, Cascavel, v. 11, n. 1, p. 129-149, 2008.

MACHADO, Roberto. *Nietzsche e a verdade*. Rio de Janeiro/São Paulo: Paz & Terra, 2021.

MARTINI, Felipe. Entrevista de Ivana Cruz para a matéria "Afinal, o ser humano e monogâmico ou poligâmico?". *GZH*, 30 abr. 2015. Disponível em: https://gauchazh.clicrbs.com.br/comportamento/noticia/2015/04/afinal-o-ser-humano-emonogamico-ou-poligamico-4750932.html. Acesso em: 11 jul. 2023.

MELIÀ, Bartomeu. *El Guaraní conquistado y reducido*: ensayos de etnohistoria. Asunción: Biblioteca Paraguaya de Antropología, 1988.

MONTEIRO, John. Os Guarani e a história do Brasil meridional: séculos XVI-XVII. *In*: CUNHA, Manuela Carneiro da (org.). *História dos Índios no Brasil*. São Paulo: Companhia das Letras, 1992.

MOREIRA, Vania Maria Losada. Casamentos indígenas, casamentos mistos e política na América portuguesa: amizade, negociação, capitulação e assimilação social. *Topoi* (Rio de Janeiro), [S.L.], v. 19, n. 39, p. 29-52, 2018.

MUNANGA, Kabengele. Uma abordagem conceitual das noções de raça, racismo, identidade e etnia. *Programa de Educação Sobre o Negro na Sociedade Brasileira*, EDUFF, 2004.

NIETZSCHE, Friedrich. *Além do bem e do mal*. Trad. Paulo César de Souza. São Paulo: Companhia das Letras, 1996.

NÚÑEZ, Geni; VILHARVA, Natanael. Artesanato narrativo e as teias da palavra: perspectivas Guarani de resistência. *Revista Feminismos*, [S. l.], v. 10, n. 2 e 3, 2022. Disponível em: https://periodicos.ufba.br/index.php/feminismos/article/view/45165. Acesso em: 11 jul. 2023.

OYĚWÙMÍ, Oyèrónkẹ́. *La invención de las mujeres*: una perspectiva africana sobre los discursos occidentales del género. Bogotá: En la Frontera, 2017.

SCHUCMAN, Lia. *Entre o "encardido", o "branco" e o "branquíssimo"*: raça, hierarquia e poder na construção da branquitude paulistana. Tese (Doutorado em Psicologia) – Universidade de São Paulo, São Paulo, 2012.

SOARES, Cristiane. *Diferenciais de idade entre os casais nas famílias brasileiras*. Rio de Janeiro: IBGE, 2015.

SOUSA, Leilane Barbosa de; BARROSO, Maria Grasiela Teixeira. DST no âmbito da relação estável: análise cultural com base na perspectiva da mulher. *Esc. Anna Nery*, v. 13, n. 1, mar. 2009. Disponível em: https://doi.org/10.1590/S1414-81452009000100017. Acesso em: 25 jun. 2023.

SUY, Ana. *A gente mira no amor e acerta na solidão*. São Paulo: Planeta do Brasil, 2022.

TALLBEAR, Kimberly. Textos presentes nos sites: http://www.criticalpolyamorist.com/ e https://kimtallbear.com/pubs/. Acesso em: 19 jul. 2023.

VAINFAS, Ronaldo. *Trópico dos pecados*: moral, sexualidade e Inquisição no Brasil. Rio de Janeiro: Nova Fronteira, 1997.

Editora Planeta Brasil | 20 ANOS

Acreditamos nos livros

Este livro foi composto em Signifier e Blackest
e impresso pela Geográfica para
a Editora Planeta do Brasil em setembro de 2023.